# 刀の日本史

加来耕三

JN258984

講談社現代新書

2380

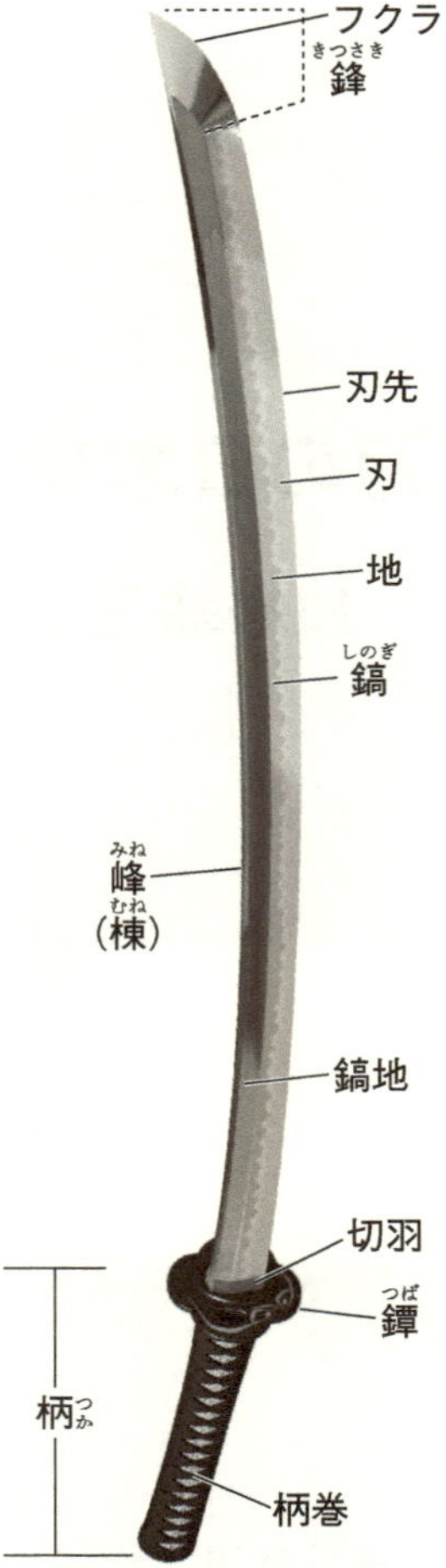


日本刀の各部名称（鞘については 91 ページ参照）

# はじめに

## 奇跡の日本刀は、いかにして誕生したのか

日本刀のおもしろさの一つは、過去からの殺傷技法の連続性が、きわめて高度に、濃厚な形で、あの彎曲《わんきょく》の形に詰め込まれている点にあった。

しかも、世界一といってよい手業《てわざ》にすぐれ、刀身のみならず外装＝「拵《こしらえ》」も美しい。このような芸術品として堪能できる強靱な武器は、日本刀以外にない。

たとえば、日本刀の代名詞のように口の端《は》にのぼる、

「軽くて、折れず、曲らず、よく切れる」

というのは、本来、侍や武将、剣士たちの願望ではあっても、厳密にはこの世に、そんなありがたい「刀《かたな》」は存在しない。正確にいえば、「できるだけ軽くて、折れにくく、曲がりにくく、そしてより切れる」であろう。

ただし、この文言《もんごん》はそもそもが「矛盾」していた。鉄には重量がある。硬い鉄は折れやすく、やわらかい鉄は曲がりやすい。とくに軽やかな細長い刀剣においては、折れにくく

い、曲がりにくいという、この異なる二方向性を両立させるのは、不可能といってよかっただろう。

ところが日本刀の、世界に類をみない凄さは、この二律背反する課題に、歴世の刀工たちが立ち向かい、見事に克服してみせた点にあった。

一方、日本刀が今日伝えられる形になるまでのプロセス――それこそ神話・考古学の時代から、数々の体験――多くは戦い――を経て、反省し、改良・開発がくりひろげられてきたことを、刀法も含め、述べた書籍はこれまでに少なかった。

刀剣を造ってきた職人、実際に日本刀を手にしてきた武術・武道の人々の著作ではなく、日本刀を美術品とのみ扱い、現存する刀の善し悪し、来歴を論じる鑑賞本のみが目につく。

日本刀を造ったこともなければ、日本伝来の武術・武道を稽古したこともない人々が、茶道同様の目利《めきき》、目明《めあき》をするというのだが、筆者はそういう方々に問いたい。あなたはなぜ、日本刀が世界に類のない、あの彎曲した形となり、しかも両手で持つ武器となったかご存じですか、と。

本来、日本刀を選ぶ基準は、それを持つ者の技量に尽きた。また、腕の長さ、体格によっても、選択は異なってしかるべきであったろう。一方で、「拵《こしらえ》」などは二の次、三の次であった。現に日本では、刀剣美術館においても、刀身のみに重きが置かれて展示されているではないか。いくら持ち主の個性が如実に出るとはいえ、その日本刀を目利や「拵」だけで、云々《うんぬん》するのは、日本刀を知る、という目的の半分にもいたっていまい。

鞘《さや》の抜き方や納刀の仕方も知らない人が、日本刀を語るのはおかしな話だ。重要なのは、刀の変遷を技法とともに、時代背景の中で考えることにあった。

「日本刀が日本人の左側通行を決めた（終戦まで）」

この意味がわからないようでは、日本刀を理解したことにはならない。思い込みや、あやふやな日本刀の来歴などは捨てて、真正面から日本刀の歴史と向き合うべきである。あわせて日本刀には、〝魅入る〟力、人間が魘《おそわ》れる魔力のあることをも、知るべきである。

## 刀に魅入られる

——筆者《わたし》の体験した、一場《いちじょう》の情景をのべたい。

昭和六十三年（一九八八）十二月——傍らにおいた「熊本日日新聞」が二日付であるから、それからおよそ一週間以内の出来事であったろう。この年の七月、二十九歳の筆者は、丸目蔵人佐《まるめくらんどのすけ》が始め、「東の柳生、西のタイ捨《しゃ》」とまで称されたタイ捨流の十三代宗家・山北竹任《やまきたたけのり》先生に入門を願い出て、その門下に加えていただいた。当時、剣道の専門誌

『月刊剣道日本』に「まぼろしの奥儀」と題する、古流武術・武道の流派を訪ねての、連載をスタートさせた前後のことだ。

その日、山北先生に稽古をつけていただきながら、話が間合いのとり方に及んだ。

「真剣の間合いは、どうしても近くなる」

という先生の言葉が、そもそもの発端だったように記憶している。

十七代つづく古流剣術の家に生まれた筆者は、物心ついてから真剣＝日本刀には接してきたつもりでいた。抜刀、斬りつけ、血振り、納刀も、一応は修得していたが、その日、山北先生のいわれた「手之内（裡）」「刀筋」「円形線」などいう、剣術の専門用語が、通り一遍の意味にしか聞こえていなかったようだ。

先生は筆者に、木刀ではなく持参の模擬刀（刀身はジュラルミン製で切れない）を構えさせ、ゆっくりとこれまで幾度も繰り返した型を、改めて演じられた。そして最後の一太刀、山北先生の刀が気合いもろとも、筆者の頭上で一瞬止まった。

そのまま先生は、〝残心〟の天位（タイ捨流独特の上段八双《そう》に似た構え）をとられた。このわずかな狭間で、眼鏡をかけていた筆者は、自らの前髪が数本、目前に落下していくのを目撃した。山北先生の刀は本身、〝関《せき》の孫六《まごろく》〟であった。

よく小説に〝剣風〟という描写があるが、実際には風ではなく重苦しい気分を、筆者は

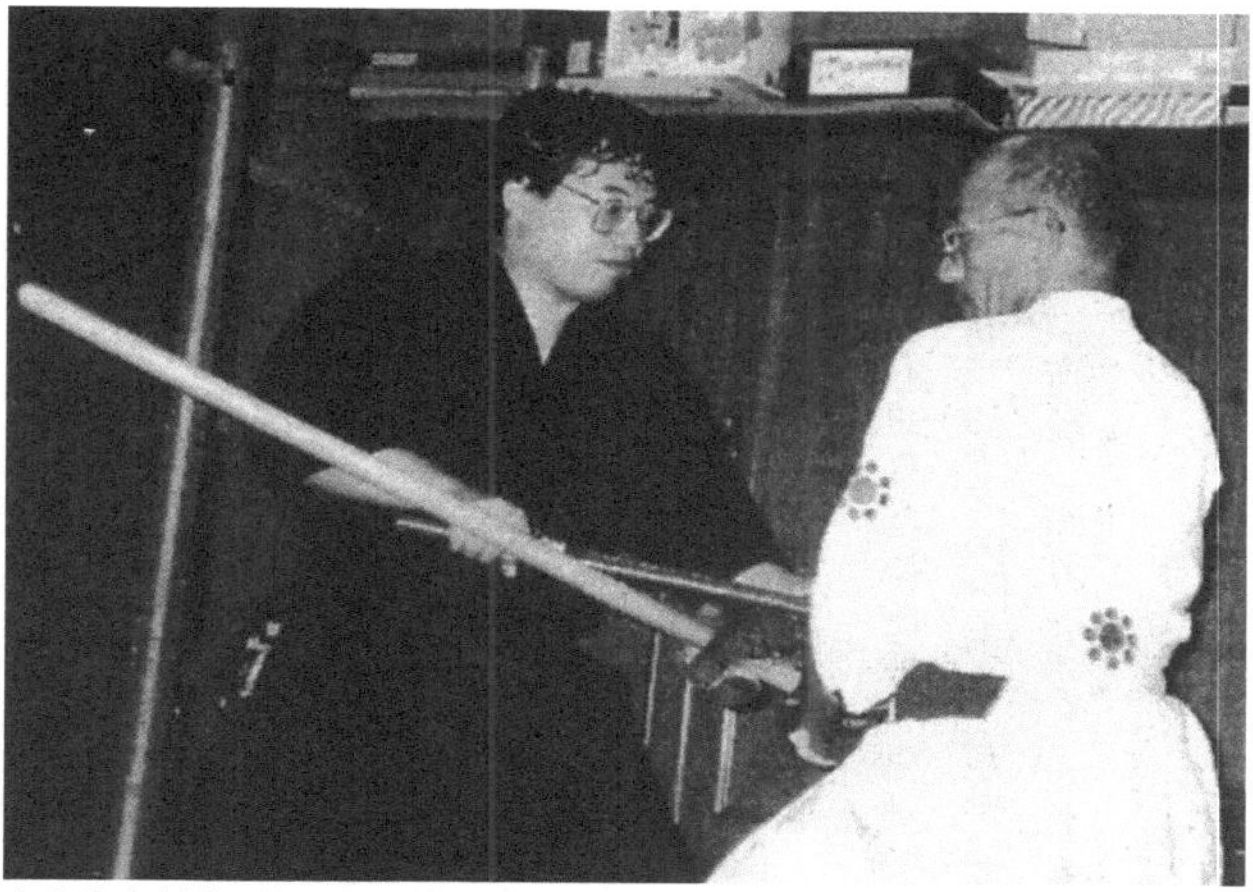

山北先生（右）と修行する筆者（『熊本日日新聞』1988年12月2日付より）

まず体感した。そして次の瞬間、全身の力がスーッと抜けた。得もいわれぬ心情であった。恐怖とか威圧感ではなく、真逆な心象――たとえようのない倒錯的で甘露な世界、とでもいえばいいのだろうか。

ありえないことだが、もし、あと数センチ深く、先生の刀が斬り込んでいれば、筆者は即死であったろう。痛いなどと感じるゆとりもなく、一瞬にして――そう思うと、なんともいえず歓慕の情が、全身に湧き上がってきたのだ。

誤解をおそれずにいえば、歓喜である。部活で徹底的にしごかれて、満身創痍で動けなくなり、大の字になって床にのびたときに似ていた。それこそ、「刀折れ矢尽きる」――万事休すのとき、「矢でも鉄砲でも持ってこい」と開き直る、あの心情に酷似していた。

いまでも鮮明に覚えているのは、その夜の筆者が尋常ではなかったことだ。目の前で真剣の一閃を体験した筆者は、その日の夜、何もおこらない平和な熊本県人吉市の街をひとり歩きながら、暴漢が現われないか、とんでもない事件が起きないものか、と一人念じていた。今にして思えば、正当な理由さえあれば、刀を抜きたかったのだと思う(もっとも、筆者のは模擬刀であったから、実際には斬れないが)。

本物の日本刀は、よほど精神力の強い人でなければ、持つものではない。刀に魅入られてしまう。真剣で素振りをしたことがある程度では、持たない方が無難だ。刀法になじむのは当然として、試し斬りで茶巾しぼりの「手之内」を体得し、刃筋の通った「円形線」による引き斬りの技術を、しかるべき師について、しっかりと学ばないかぎり、真剣は抜いてはなるまい。

かつての筆者もそうだったが、真剣で一人型稽古をしていても、ものに斬りつけた瞬間の間合い、刃筋、「手之内」の具合いは、真に理解できない。実際には、遠近の〝差〟が生じてしまう。無論、斬りおろしたおりの刀勢、使い手の力量や体調によっても、〝差〟は広がった。

筆者はこれまでに、試し斬りに失敗して刀身が止まらず、床板に斬りつけた者、わが身を傷つけた者、あるいは刀の目釘を確認しないで試し斬りに臨み、目釘が折れて刀身を飛ばした者、「手之内」の握りが悪く、刀勢で柄《つか》が両手からすっぽ抜け、刀が前方へ飛んでいった——云々、そうした、信じられない場面を幾つも見聞してきた。

間違っても、真剣を斬りおろす方向においては、六メートルは距離をとりたいものだ。

本書は日本刀の歴史を、神話あるいは考古学の時代から近世・近代まで、それにかかわった人物（刀工も含め）の逸話をまじえながら、たどったものである。併せて、読者は中国武術を終焉に導いた日本刀の秘史にも遭遇するに違いない。

第一章「神話と考古学の刀剣」では、日本神話に登場する刀剣を紹介しながら、「刀」と「剣」の違いにこだわった。第二章「日本刀の黎明期」では、聖徳太子や藤原摂関家との刀の関わりを見、第三章「日本刀の誕生」では、源平合戦から〝剣豪将軍〟足利義輝までを追い、日本の製刀技術の高さに注目した。第四章「日本刀の真実」では、戦国武将が大切に抱えていた多種多様な名刀にまつわる逸話を、出典をあげながら披露した。そして終章では、鑑定士・刀剣鑑定などに触れ、なぜ日本刀が「武器」としての存在価値を失ってしまったのかを、最後に考察した。

空前の「日本刀」ブームである。なぜ、「日本刀」は人の心を、あれほど捉えてやまないのか、いかにして「武器」から「美術品」へと変貌を遂げていったのか、その歴史をご理解いただけたならば、これにすぎたる喜びはない。

平成二十八年七月吉日　東京練馬の羽沢にて

加来耕三

目次

## 第四章　日本刀の真実

明が入手した日本の刀術／中国の武器を日本人が集めなかった理由／日本刀はなぜ両手でもつのか?／薙刀術こそが剣術を進化させた／柳生宗厳、一夜にして剣の奥義を伝授す／間合い、拍子をずらす秘法／宮本武蔵の学んだ十手術／合戦に刀剣を何本持参したか／刀剣の殺傷率は一割にも満たなかった／越前朝倉家重代の名物「籠手切正宗」／上杉謙信の名刀「竹俣兼光」／藤四郎吉光「五虎退」の伝説／織田信長が手に入れた「宗三左文字」／鞘の重要性／信長、官兵衛に「圧切長谷部」を下賜す／竹中半兵衛の刀剣談義／名馬より「一国兼光」こそ大切／山内一豊ゆかりの「小夜左文字」物語／森蘭丸、信長より「不動行光」をもらう／〝第三の方策〟を発揮した細川藤孝の「古今伝授行平」／織田信雄、「岡田切」を振う／戦国の女城主・甲斐姫の「浪切」は冴え／天下五剣「大典太光世」を手に入れた前田利家の分限／加藤清正の虎退治の槍は花嫁道具に!?／鞘師・曾呂利新左衛門の正体／徳川家に祟った〝妖刀〟村正／徳川光圀・真田信繁は村正ファン／天下三名槍・日本号と黒田節／石田三成が「石田正宗」を秀康に贈る／名刀正宗で伊達政宗に斬りつけた傾奇者／「水神切兼光」を手にした直江兼続の心中／武辺者の「永井正宗」／真田信繁の

# 第一章　神話と考古学の刀剣

## 世界に類をみない日本刀

日本刀のことを一般に、〝刀剣《とうけん》〟と呼ぶ。

ところがこの刀剣――いささか、ややこしい。たとえば、「刀」は一字で〝かたな〟と読み、「剣」は〝けん〟〝つるぎ〟と読んだ。

では、この二つはどこが違うのか。日本では「刀」と「剣」は本来、用途が異なった。刃《やいば》を振りかぶって、その勢いをもって振りおろし、対象物を断ち切ることに主眼を置いたのが「刀」であり、「剣」は突き刺すことを目的としていた。どちらがより使い勝手がいいか、となると、これは個人の感覚であろう。好みといってよい。

ただ、明らかなことは、日本人は全体として太古の昔より、もっぱら「刀」を得意として来た、という史実だ。民族の習性、癖といいかえてもよい。

しかもこの「刀」、世界の基準《スタンダード》が両刃《もろは》の直刀《ちよくとう》なのに、日本刀はいつしか片刃《かたは》で彎刀《わんとう》(反りのある曲がった刀)となった。目的は一つ、「斬《ざん》」(たちきる)にあったといえる。

喧嘩を例にあげるのはいささか恐縮だが、欧米諸国の人や中国の人は、突いたり蹴ったりする動作が多い。スポーツでいえば、ボクシングや中国拳法が理解しやすい。

日本人はどうか――昨今はともかく、歴史的にはどうやら、突くよりも、手を振り下ろす――あるいは、振り払う――動作、拳を固めないで叩く＝〝ぶつ〟方が得意な民族であったようだ。現代に脈々と受け継がれてきた剣道も、打突をポイントとしてはいるが、その根底に「斬」（たちきる）が想定されている。

こうした日本人の習性の集大成が、折れず曲がらず、切れ味鋭く、そのうえ気品高く清々しい外見、本来の用途である殺傷性とは別次元の、美術品としての価値を持つ、世界に無比な日本刀となったのだが、その完成までの歴史は、目もくらむばかりの遠き道のりであった。

――刀剣の類は、それこそ世界中に存在する。

だが、片刃の武器を両手でもって、一刀両断に斬るものは、日本刀以外にない。

中国には青龍刀という、両手で扱う「刀」があるにはあるが、小説『三国志演義』（伝・羅貫中著）に登場する怪力の関羽《かんう》ならいざしらず、実際にあの大きくて重いものを、両手を使って、日本の古流剣術のような迅速さで、自在に振りまわすことができたかといえば、やはり無理であったろう。

世界中の刀剣が、ほぼ片手で操作するのに対して――日本にも片手で扱った時期はあったが――日本刀は両手でもつ。なぜ、両手なのか。逆にいえば、世界の大勢はなぜ、片手のままであったのか。理由は、明らかであった。わが身を守るために、一方の手で防禦用の楯を必要としたからだ。前述の青龍刀では、わが身を守ることができまい。

ヨーロッパの、古代ローマ帝国の兵士を思い浮かべればよい。彼らはかならず、片手に楯をもっていた。それなのになぜか、日本には、この楯を片手にもつ古流剣術の流派が、筆者の知る限り存在しなかった（拙編『日本武術・武道大事典』）。

## 刀剣に神仏をみる国

筆者が学んだタイ捨流剣術には、右逆手で抜刀する技法はあったが、そのとき左手は鞘《さや》口《ぐち》を摑んでいる。そして、刀を振りあげてから振り下ろす動作では、左手は柄《つか》（刀剣の手でにぎる部分）の下部へ——右手は逆のままだが、両手でもつ体勢——となっていた。

西洋のフェンシングのように、片手だけで突っかかるような技法も、日本の武術には存在しなかった。そもそも、日本人はいつから刀剣を両手で、楯も用いずに操るようになったのだろうか。謎はまだある。刀剣は日本の神話の世界にすら登場していたが、一番最初に登場する武器は、刀剣ではなかった。今日でも普通に会話で使う、「矛盾」という言葉の語源となった「矛《ほこ》」と「盾《たて》」の組み合わせの一方、「矛」であった。

では「矛」は、いつ、刀剣に取ってかわられたのだろうか。

——疑問は、尽きない。

形状だけの問題でもなかった。厄介なことに、日本人は刀剣を単なる武器としてのみ、扱わなかった。神秘的な霊の宿るもの、さらには信仰の対象としても崇めてきた。日本刀にぬかずき、神呪《しんじゅ》（まじない）や真言などを唱えた。タイ捨流では技をはじめる前に、「次浄三業《じじょうさんごう》直伝」という護身法、つまり呪文を声に出して唱える（略式もある）。

唵婆縛婆縛称駄薩縛達摩《オンシバシバシュダラサラバタラマ》
婆縛縛婆称度憾《シハンバシシュドカン》　ソワカ

神話の時代から、歴史の世界に入っても、日本人は刀剣に神仏をみてきた。その証左は、皇室における皇位の標識として、歴代天皇が受け継いだ〝三種の神器〟をみれば、明らかであろう。八咫鏡《やたのかがみ》・八尺瓊曲玉《やさかにのまがたま》とともに、「**草薙剣**《くさなぎのつるぎ》」（**天叢雲剣**《あまのむらくものつるぎ》）が数えられている。熱田神宮では、この神剣がご神体ですらあった。筆者は伝聞ながら、熱田神宮に残るご神体＝「草薙剣」は、白銅製の両刃＝区分では「剣」ではないかと推測しているが、ここで興味深いのは、別なこと。日本神話に最初に登場する武器がこの「草薙剣」ではなく、さらにいえば刀剣でもなかった、という〝不思議〟であった。

## 日本人が最初に手にした武器

和銅五（七一二）年に成立した、日本現存最古ともいわれる史書＝『古事記』の上《かみ》つ巻の「国土の修理固成《しゆりこせい》」のところに、イザナキ（『古事記』では伊耶那岐命・『日本書紀』では伊弉諾尊。以下、カッコ内は同じ順）とイザナミ（伊耶那美命・伊弉冉尊）の夫婦神が、

「天の沼矛《あめのぬぼこ》を賜ひて、言依《ことよ》さし賜ひき」

と述べられてあった。国定最古の史書『日本書紀』では、「天之瓊矛《あまのぬぼこ》」となっている。瓊は玉であるから、玉で飾った「矛」の意となろうか。いずれにせよ、刀剣ではない。

「この漂っている国を整えて、しっかり作り固めなさい」

前後を読めば、天の神々に命じられた二人は、天上から授けられた立派な「矛」をもって、天上からの階段に立ち、その「矛」をさしおろして——突き出して——それから下の世界をかき廻す。すると、海水が音を立ててかき廻され、「矛」を引きあげたとき、その矛先から海水が滴《したた》り積もって、オノゴロ島（淤能碁呂島・磤馭慮島）ができた。

この島は、イザナキとイザナミが最初につくった島で、日本の異称ともなっている。ただし、実在の島との関連は、認められない。二人はその島に降り立って、大きな御殿を建てて、次々と神を生み出すことになる。まず、刀剣より先に、「矛」が登場していた。

ちなみに、「矛」の原型は、自然にはえている木や竹を切って、狩猟生活の時代、狩り

をするのに投げたり、手に持って突く、といった動作に主眼がおかれていたかと思われる。それがいつしか、鋭利な石—青銅—鉄と穂先を変化させていった。

長柄の先端に剣形の穂を嵌《は》めたり、鋒《きっさき》（刃物の先端）を曲げて両刃の勾《かぎ》とした刺突用の武器は、青銅製のものが殷墟（中国河南省安陽県にある殷代の遺跡）からも出土していた。

筆者は日本神話と考古学の関連性について、これまでも注目してきたが、おそらく日本神話の中で、文字を持たなかった日本人の記憶として、遠い昔、中国大陸や朝鮮半島から持ち込まれた、先進の文化が形を変えて残された可能性は高かった。

「矛」は古い字形で、木の柄《つか》（手で握り持つ部分）に先のとがった金具を取りつけたもの。一般的には、両刃の剣に、長い柄《え》（器物の取っ手）をつけた武器であり、敵を突き刺すのに用いた。ほかにもほこには、鋒（ほこさき）・仗（まもりつえ）・戛（長いほこ）・殳（長さ一丈二尺のつえぼこ。殷代の次の周の時代、一尺は二十二・五センチで、刃がなくて八角のほことも）・戟（両側に枝のあるほこ）・矟（馬上でもつ短めのほこ。周国の尺では一丈八尺と長い）などの字が、用途に応じて当てられたが、なかには「槍」（鑓《やり》は国字）で〝ほこ〟と読ませるものもあった。

**日本刀の祖「十握剣」**

では、日本神話に刀剣が最初に登場するのは、何処《いずこ》か——。

イザナキとイザナミが島々を生成し、次に神々を生むくだりなのだが、最初に登場するのは、前述の「草薙剣」ではなかった。養老四（七二〇）年に撰された『日本書紀』によれば、「**十握剣**《とつかのつるぎ》」という（『古事記』では「十拳剣」）。この剣は「天之尾羽張剣《あまのおはばり》」「伊都之尾羽張《いつのおはばり》」ともよばれ、古語で〝よく斬れる〟という意味をもっていた。

天の神々から日本の国土を造るように命じられたイザナキとイザナミの夫婦神は、国産み、神産みをおこない、大八島《おおやしま》をはじめ次々と島をつくり、自然界を構成する多くの神を誕生させた。ところが、最後に――文明の順であったろうか――火の神・カグツチ（火之《ひの》迦具土神《かぐつちのかみ》または加具土命・軻遇突智）を産むのだが、イザナミはこのおり火傷を負い、その傷がもとで黄泉《よみ》の国へ旅立ってしまう。最愛の妻を失ったイザナキは嘆き悲しみ、半面、激怒して、生まれ出たばかりのカグツチの首を斬りおとした。

このおり用いたのが、「十握剣」であり、柄の長さが握り拳《こぶし》十個分あることから、その名がついたとされている。小指から人差指までの幅＝八センチ～十センチ×十倍＝八十センチ～百センチとなる。後世の日本刀と比べれば、倍以上に柄が長い得物《えもの》（武具・武器）といえた。後世では「大刀《だいとう》」と呼ばれることになる（詳しくは後述）。

なお、カグツチを斬った剣の刃から、血が垂《したた》り神が生まれ、それがフツヌシ（経津主神《ふつぬしのかみ》）の祖《おや》となる。また、鐔《つみは》（つかがしら＝剣の柄のとっさき。後世ではつばと称したが、それは別のもの）

より垂った血からも神が生まれ、ミカハヤヒ（甕速日神《みかはやひのかみ》）＝タケミカヅチ（建御雷之男神《たけみかづちのおのかみ》・武《たけ》甕槌神《みかづちのかみ》）の祖となった、と『日本書紀』にある。

ただし、同じ『日本書紀』の後述部分や『古事記』には、ミカハヤヒ、ヒノハヤヒ（樋《ひの》速日神《はやひのかみ》）、タケミカヅチの三神が相次いで生まれた、同世代である、とも書かれていた。

フツヌシは、のちに香取神宮（現・千葉県香取市）のご神体となり、タケミカヅチはのちに鹿島神宮（現・茨城県鹿嶋市）のご神体となる（一方で『古事記』には、これらは同一神の別名で〔別神説もある〕、ほかにトヨフツ〔豊布都神《とよふつのかみ》〕という名もあると述べられていたが）。よく剣術道場に掲げられている、日本を代表する二大〝武〟の神である。

## 製造技術の渡来

次々と〝武〟の神々が生まれるシーン——ここはもう一段、謎が語られていたように思われる。前後して水神クラミツハ（闇御津羽神・闇罔象神または罔象女《みつはのめ》）とクラオカミ（闇淤加美神・闇龗神）が生まれており、これまでの神々を並べると、鉄を火で焼成《しょうせい》し、石の上で打って鍛え、水で冷やして焼きを入れるという、日本刀の造られるプロセスが、そのまま述べられていたのではないか、と疑いたくなる箇所でもあった。

日本の場合、鉄は青銅器とともに中国大陸から渡来し、古墳時代には武器・工具などの副葬品が大量に出土していることから、これらは主に渡来人によってわが国へもたらされた技術が、その後、広く普及したものと推定されてきた。

古代には〝鉄穴《かんな》〟と呼ばれた製鉄遺跡が各地に発見されており、炭素含有量の少ない良質の砂鉄を産する中国山脈が、わが国独特の、鉄の精錬法を発達させたように思われる。

粘土でまず、円形の竪型炉《たてがたろ》をつくり、その中へ鉄鉱（砂鉄か鉄鉱石）と木炭を入れ、手押しの皮鞴《かわふいご》（火力を強めるための送風器）を用いて風を入れるやり方であったようだ。

ところがこの方法では、酸化鉄から酸素を除去するのに、スラグ（鉱滓《こうさい》＝溶融した金属から分離して浮かびあがる滓《かす》）として鉄分の何十パーセントもが残留するという非効率がおき、送風も熱風ではなく冷風であったことから、焼成温度（熱で焼いて原料の性質を変化させるさいの温度）が低い、という欠点があった。

のちの〝倉林炉《くらばやしろ》〟（関東の倉林家に伝わり、野蹈鞴《のたたら》製鉄に使われた前方後円形の炉）などの形で復元される――平安時代の東国の製鉄炉は、多くが谷を上る自然風を利用していた。

いずれにせよ、このような低水準の炉で得られた鉄状塊を「鉧《けら》」といい、その塊から純度の良い部分を鍛冶師が選択して切り取り、鍛鉄《たんてつ》（鉄をきたえること）に回した。

この撰《え》りぬかれた切片を「玉鋼《たまはがね》」と呼び、これこそが日本刀の原材料となった。

炉は確かに粗悪であったが、「玉鋼」は良質であり、こと鍛造技術に関しては、平安時代後期から躍進した日本の技術は、室町時代に日本を世界最強・最大の、刀剣＝武器輸出国の地位にのし上がらせていく（詳しくは後述）。

なにしろ日本刀の製造に、「玉鋼」が追いつかず、海外からしきりと輸入がおこなわれたほどであった。室町時代から日本は、材料を輸入にたより、加工して日本刀を造って──付加価値をつけて──それを輸出していたのである。

従来では江戸時代に入り、「高殿《たかどの》」といわれる炉床構造と、足ぶみ鞴（天秤踏鞴・天秤鞴）が開発され、従来の〝野踏鞴〟に代わって、画期的な技術発展をとげたとされてきたが、最近の研究では、建保二（一二一四）年の『東北院職人歌合《うたあわせ》（絵巻）』──この三番右方の「鋳物師《いもじ》」の図には、すでに「高殿」式で箱の上に両側から人が乗って、これを足踏みし、送風している踏み踏鞴が描かれていた。後鳥羽上皇（第八十二代天皇）の治世であったが、筆者はこの人物こそ、日本刀最大の恩人と考えている（詳しくは後述）。

いずれにしても踏み踏鞴は、すでに室町時代に使用されていたことになるから、これこそが武器輸出世界一の戦国日本に貢献した、秘密兵器といえるかもしれない。ちなみに、歌舞伎の世界で使う、〝踏鞴を踏む〟は、この「踏み踏鞴」から来たといわれている。

## スサノオと「草薙剣」

——「十握剣」（十拳剣）が、刀剣として最初に登場した神剣であった。

この「十握剣」は、日本神話における最大の人気者スサノオノミコト（建速須佐之男命・素戔嗚尊）も用いていた。彼は、天《あま》つ神《かみ》の高天原《たかまがはら》と地上神のすむ出雲（現・島根県東部）をつなぐ、〝橋渡し〟の役割を担って、神話の世界に登場する。

高天原神話では、皇祖神アマテラスオオミカミ（天照大御神・天照大神）の弟として、また三貴子《さんきし》のひとりとして、スサノオは大暴れをするのだが、他方の出雲神話においては、国《くに》つ神《かみ》のオオナムチ（大己貴）の祖神とされ、この両神話のなかにおけるスサノオは、まるで別個の神のようでもあった。

おそらく幾つもの神話が重なって、人物像を創りあげたのであろう。とくに、地上に降りたったスサノオは、それまでの傍若無人な振る舞いが影をひそめ、打って変わって平和的な、ヒューマニスティックな英雄として描かれている。智《ち》・仁《じん》・勇《ゆう》を兼ね備え、ロマンを身をもって実践する英雄——その象徴こそが、実は「草薙剣」であった。

根の国へ追放されたスサノオは、出雲国の簸川《ひのかわ》でヤマタノオロチ（八俣遠呂智・八岐大蛇）を酒に酔わせて、佩《は》いていた——吊るしていた——「十握剣」でこの大蛇を退治する。大蛇を「斬」したスサノオは、尾を切ったときに「十握剣」の鋒《きつさき》を刃《は》毀《こぼ》れさせてしまう。

なぜ神剣が刃毀れしたのか、不思議に思った彼が、さらに尾を割いてみると、そこから鋭い大刀が出てきた。これこそが「叢雲《むらくも》(天叢雲剣)」であり、のちに焼津(現・静岡県焼津市に比定)で火難を免れるべく、野の草を薙ぎ払って難を逃れたことから、「草薙剣」と呼ばれることになる、新たな神剣の登場であった。

この目が赤く輝くヤマタノオロチも、筆者は山深い鉄の鍛冶場を具現化したものではないか、と考えてしまう。しかも大蛇が現われたのは出雲国であり、ここは良質砂鉄の産出国でもあった。

スサノオの剣「十握剣」の刃が欠けたというのは、あるいはこの剣は青銅製で、草薙剣は鉄製であったとも解釈できるのではないか。また、ともに鉄製としても、「十握剣」は鍛造技術=焼刃のついた鋭利な刃物とはなっておらず、「草薙剣」こそが当時、最新の高度な鍛造法と焼き入れ技術をもって製作された刀剣、と考えることはできないだろうか。

そうなれば「草薙剣」は、後世の日本刀の、直接の祖ということになる。

## 「八重垣」に封印された秘法

にもかかわらず、どういうわけか、このスサノオを開祖とする日本古武術が、筆者の知るかぎりは存在しなかった。皇室が顧みられることのない江戸期に、剣術が隆盛を迎えたからか、それともこの「剣」が直刀であり、両刃のものであったがゆえに、日本刀とは別次元のもの、と後世の武士が判断したからであろうか。

スサノオは大蛇の人身御供《ひとみごくう》にされたクシナダヒメ（櫛名田比売・奇稲田姫。あるいは稲田の女神）と新婚生活を営み、このまま出雲国を治めるのだが、草薙剣はここで、さらに非常に重要な役割を果たしていた。スサノオによってこの剣は、高天原のアマテラスに献上されているのである。

「『これ神《あや》しき剣なり。吾《われ》いかにぞあえて私《わたくし》に安《お》けらんや』とのたまいて、すなわち天つ神のみもとに献《たてまつ》り上ぐ」（『日本書紀』）

このように素晴らしい剣は、天つ神にこそふさわしい＝つまり「草薙剣」は、根の国の高天原への服従の証として使われていたのだ。後世の社寺への奉納、下賜《かし》の原点がここにあった。そして神話は、次なる展開＝〝国譲り〟と〝天孫降臨《てんそんこうりん》〟にいたる。この流れを念頭におけば、「草薙剣」が〝三種の神器〟の一つに数えられた意味も、氷解しよう。

それにしても、『古事記』は不思議な書物である。今もって、多くの謎がひそんでいるとされており、スサノオに関しては刀剣がらみの「八重垣《やえがき》」が伝承されて来た。

八雲《やくも》立つ出雲八重垣妻籠《つまご》みに

八重垣作るその八重垣を

一般にこの歌は、クシナダヒメとの新婚の家を造ることを詠《うた》ったもの、とされているが、古流武術の世界では昔から、この歌にこそ、それまでの日本にはなかった最新の刀剣造りの秘法が、ひそかに詠《よ》みこまれている、と説かれて来た。

筆者も家代々に伝わる東軍流の解釈を聞いたが、これは本書の本筋ではないので、これ以上はふれない。が、日本の武術は日本刀が完成するまでの、製造上の新発見や新工夫を、奥儀と同様に秘伝として、多くの流派で伝承してきたのである。

### 「刀」「剣」「師霊」

日本神話はやがて、神武東征へと移っていく。

カムヤマトイワレビコ（神倭伊波礼毘古命・神日本磐余彦尊＝初代神武天皇）は日向《ひむか》（現・宮崎県に比定）を出発して、東の〝美《よ》き地《くに》〟（現・奈良県に比定）に向かうのだが（『日本書紀』）、熊野の荒坂津《あらさかのつ》（またの名は丹敷浦《にしきのうら》）にて、大熊の姿をした地元の神の毒気にあたり、苦戦する。

それを天上からみていたアマテラスは、すでに登場したタケミカヅチにカムヤマトイワレビコを救援に行くように求めた。適任であったろう。なにしろ、この武神は、『古事

記』においては、「十拳剣《とつかのつるぎ》」をぬき放って波頭へ逆さにつき立て、その鋒にあぐらをかいてオオクニヌシ（大国主神）に、

「汝《いまし》がうしはける葦原《あしはら》の中《なか》つ国《くに》は、わが御子《みこ》の、しらす（さむ）国」（そなたが支配している葦原の中つ国は、わが御子＝アマテラスの子であるアメノオシホミミ〔正勝吾《まさかつあ》勝勝速日《かつかちはやひ》天忍穂耳命《あめのおしほみみのみこと》・正哉《まさか》吾《あ》勝勝速日天忍穂耳尊《かつかちはやひあめのおしほみみのみこと》〕が治めるべき国である）

と国譲りを迫ったほどの神である。タケミカヅチは刀剣の神格化した一面もあったから、アマテラスにすれば、すがる思いでもあったろう。

ところが、タケミカヅチはなぜか、自身で参陣せず、自らの代わりに「韴霊《ふつのみたま》」（『日本書紀』）があれば十分だ、という。『古事記』では「横刀《たち》」とあり、「佐士布都《さじふつ》の神」、またの名を「甕布都《みかふつ》の神」「布都《ふつ》の御魂《みたま》」とも説明し、この神刀を地上に下し、それをカムヤマトイワレビコに、人づてにもたらす。

右の〝ふつ〟は、「刀」の威力の擬音語であり、物を「斬」するときの音を表記したもの。この「韴霊」はのちに、石上神宮《いそのかみ》（現・奈良県天理市）のご神体となったとされている。「韴霊」に加えて八《や》咫烏《たがらす》の先導もあり、ついにはカムヤマトイワレビコは国を平定することに成功した。

このようにみてくると、日本人独特の思想、すなわち刀剣に魂が宿り、その霊なるもの

を信仰の対象として崇める、といった姿勢は、日本神話――『日本書紀』が完成した養老四（七二〇）年以前に、すでに日本人の中にできあがっていたことを意味していた。

――日本人は、神と刀剣を同じように崇めていたのだ。

皇室ゆかりの伊勢神宮（ご神体は八咫鏡）に目を向ければ、二十年ごとにおこなわれる式年遷宮に際して、神が用いる日用道具「御神宝《かむだから》」を神殿に奉納する「調進《ちょうしん》」においても、さまざまな「御神宝」の中に、玉纏大刀《たままきのたち》・須我流大刀《すがるのたち》・金銅造大刀《こんどうづくりのたち》・黒造大刀《くろづくりのたち》などの奉納が確認されている。

ちなみに、ここでいう「大刀」――前述の「師霊」＝「横刀」も――は、もっぱら腰に佩用《はいよう》したもので、儀容に用いて威厳をそえたものである。和名を付した漢語辞書『和名類《わみょうるい》聚抄《じゅしょう》』（全十巻、源 順《みなもとのしたごう》著、九三一～九三八年に成立）の調度部（征戦具）に、

「四声字苑《しせいじえん》に云《い》はく、剣に似て一刃《かたは》なるを刀と曰《い》ふ」（『四声字苑』という書によれば、両刃の剣に似ていながら一刃のものを「刀」という）

とあり、「刀」は「都牟反《つるぎ》」と当て字され、「大刀は太知《たち》、小刀は賀太奈《かたな》」とあった。

この太知が「大刀」であり、ここでは本章冒頭の両刃のものではなく、一刃《かたは》のものをいい、その長大なものを〝たち〟と称した。

以前に、『大日本剣道史』（堀正平《しょうへい》著、一九三四年刊）に掲載された「師霊」の図をみたことが

ある。柄と刀身は同じ（共造り）で、柄に革か布を巻けば操れないことはない、と思ったことがあった。ただ内反りで片刃の「刀」であったことが、気になったのを覚えている。日本では古墳の出土からもあきらかなように、青銅製両刃直刀が相当期間存在していたと思われる。もし、「師霊」が逆に、短い「刀」であったとするならば、それは後述する節刀《せつとう》のはしり、すなわち象徴、権威づけとして使われたようにも考えられる。

古墳から出土する鉄製の刀剣は、片刃のものは直刀で長さ三尺（約九十センチ）内外、両刃のものはこれより短く、全長二尺（約六十センチ）内外。刀身（刀の鞘におさまる部分）の長さだけでみると、いずれも一尺五寸（約四十五センチ）ほどになる。

刀と剣――日本の場合、発掘においても片刃のものが多数発見されていた。それに比べて、両刃のものはどういうわけかあまり出土していない。日本人は古墳の時代、三尺内外の鉄製の直刀をもって、突くというよりは撃ち斬ることを目的に、刀を使っていたのかもしれない。

おそらくその前――太古の石器時代においても、われわれの先祖は石刀を「斬」に用いていたように思われる。

## 「大刀」から「太刀」へ

もう少しだけ、「刀」と「剣」の違いにこだわってみたい。

スサノオからヤマトタケルへと伝えられた神剣は、すでにみたように『日本書紀』では「草薙剣」。『古事記』では「草那芸之大刀《くさなぎのたち》」、または「草那芸劒《くさなぎのつるぎ》」となっていた。

天平勝宝八（七五六）年にまとめられた「国家珍宝帳」＝『東大寺献物帳《けんもつちょう》』などをみていると、両刃、片刃ともに、「剣」とも「大刀」とも同じように使われている。それは「刀」の構造においても、この頃は双方を区別していなかったことを意味していた。

極端な例としては、〝たち〟と読んだ「横刀」（「歸霊」）の影響であろうか、これをそのまま太刀としたものまで、『東大寺献物帳』には散見される。註によれば、「刃長一尺四寸七分（約四十五センチ）、鋒《きつさきは》者偏刃《かたは》」とある。全体に刃渡りが短いために、鞘が矮小となっていたが、それでも〝たち〟と呼ばれていた。

『和名類聚抄』の「剣」の註には、

「今案《いまあん》ずるに（今でいえば）、僧家の持てる所（のもの）是也《これなり》」（原文は漢文）

とあり、真言宗などの密教で僧侶が用いる「鈷《こ》」（古代インドの武器）——両端にとがった爪があり、爪が一つのものを独鈷《とっこ》、三つのものを三鈷といった——その三鈷の手にもつ部分・柄＝〝三鈷《さんこ》柄《づか》〟（刀剣の柄を三鈷の形に作ったもの。図1－1）の類と同じだ、と解されてい

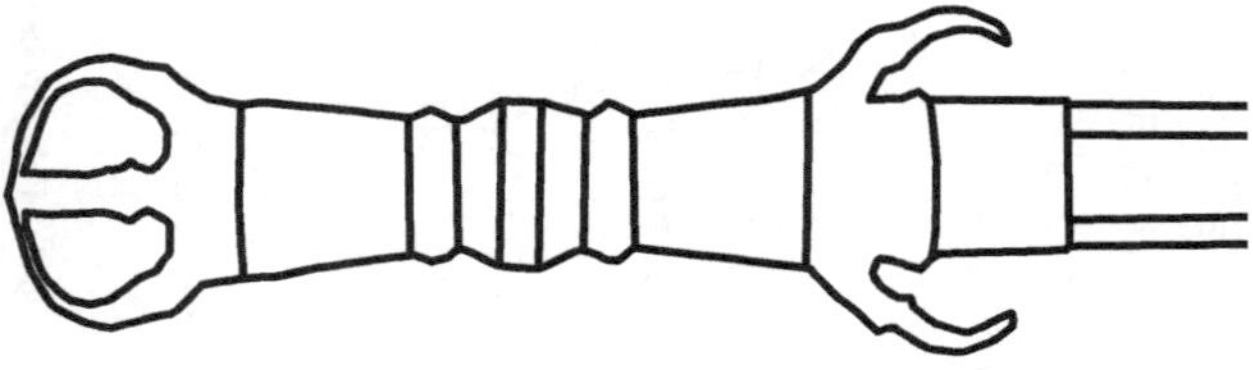

（図 1-1）三鈷柄：柄の両端にとがった爪を持つ

た。短刀のイメージだが、〝つるぎ〟と訓《よ》むように、とあえて解説しているのが興味深かった。

桓武《かんむ》天皇（第五十代）が平安京を開いたのが、延暦十三（七九四）年であり、その九年前、比叡山に草庵を結んだ最澄が、元号から自らの寺を延暦寺と称した。この頃、「刀」と「剣」には明快な区分ができていなかった。

ニュアンスとしては、普通にもつものを「大刀」といい、儀仗（儀式に用いる装飾的な武器）の意図あるものを「剣」と呼称して、区別したように思われる。

まだ、「太刀」の文字は用いられていない。「大刀」が「太刀」となるのは平安中期、それこそ武士が日本史に大挙登場してからのこと。より具体的には、源平争乱以後のこととなる。

そういえば、皇室には「大刀契《だいとけい》」というのがあった。

先にみた皇位継承のおりの〝三種の神器〟――これ以外にも、先帝から新帝へ贈られる宝物は数限りなくあったが、「大刀」と「契」をとくに、「大刀契」として特別に扱った。

この二つは帝の行幸に際しても、携行されたという。

古くは百済《くだら》（「ひゃくさい」とも読む）から献上された宝剣、名刀を幾十振りか引き渡したのが「大刀」で、あわせて「契」＝「割符《わりふ》」を丁重に伝えた。これは兵馬を動員するときに用いられるもので、東国の兵を催すときには「関契《かんけい》」を使い、西の兵には「駅鈴《えきれい》」を、帝の身辺を護衛する兵には「随身符《ずいしんふ》」が、各々用いられた。

いずれも魚の形をしていたというが、くり返される政変や戦火、盗難に、室町時代になると「符」そのものが消滅してしまったようだ。なにしろ、鎌倉幕府に挑んだ後鳥羽上皇以来、明治維新まで、帝（院を含む）が兵を動かすことはなかったのだから、無理もない。

## 世界最初の女剣士

「横刀《たち》」（「韴霊」）に関連して、刀剣を考古学側から見てみたい。

多分に日本神話にも影響を与えたであろう中国の殷——実在が証明できる最古の王朝——の時代、兵は腰に短い「刀」を帯びていたが、これは青銅製であった。

しかも刃の部分が鎌のように、内側に彎曲している。護身用であり、武器としては後世日本の中世につづく、補助的な扱いをうけていた。

ちなみに、「剣」はどうであったか。日本の昭和三十一（一九五六）年に、陝西《せんせい》省西安市長安区趙家坡《ちょうかは》の、殷の次の時代――西周時代（紀元前一〇五〇頃～紀元前七七一）の墓から、全長二十八センチの青銅短剣が出土した。時代とともに剣は長くなるが、それでも青銅製はおおむね五十センチといったところであろうか。

殷―西周―東周からつづく春秋時代（紀元前七七〇～紀元前四〇三）――呉と越にまつわる「臥薪嘗胆《がしんしょうたん》」の逸話があった。越王勾践《こうせん》が宿敵の呉王闔閭《こうりょ》を敗死させたが、闔閭の子・夫差《ふさ》が次には勾践を倒す。そして二十年後の紀元前四七三年に、勾践が夫差を討った。「臥薪嘗胆」の「嘗胆」――苦い熊の胆《きも》をなめては、敗北を忘れまいと誓った故事の、一方の主人公が勾践であり、名臣・范蠡《はんれい》の助力により、ついに諸侯に会して盟主となった、春秋時代の主要な人物である。

日本でも、南北朝時代に児島高徳《こじまたかのり》（生没年不詳）が、「天勾践《てんこうせん》を空《むな》しゅうすること莫《なか》れ、時に范蠡《はんれい》無きにしも非ず」（どうか天を仰いで嘆かないで下さい。必ず勾践を助ける范蠡のような人物が現れますから）と、陰ながら後醍醐天皇（第九十六代）をはげました、セリフでもなじみがあった。が、この越王勾践の「剣」が、日本の昭和四十（一九六五）年に出土した。全長は五十五・七センチ（柄八・四センチ含む）であった。

なお、剣の上部に「越王勾践、自ら用剣を作る」との銘文が刻まれていたというから、刀工は職業として独立はしていても、勾践のように、王自らでも剣を作ることは可能であったわけだ。その頃の、刀剣のレベルが思われる。ちなみに、越王勾践の墓からは木刀も出土したが、これは練習用であり、剣と同様に、片手で用いるものであった。

この勾践に関連して、彼が南林《なんりん》（現・江蘇省）出身の「越女」に「剣の道とはどういうものか」と尋ねた逸話が、後漢成立の史書『呉越春秋』（刊行年不詳・趙曄撰。六巻本と十巻本あり）に出ている。越女はいう。

その道は甚《はなは》だ微《かすか》にして易《えき》（変化）あり。その意は甚だ幽《かすか》にして深し。道は門戸あり、また陰陽あり、門を開き戸を閉じ、陰衰えて陽興《おこ》る。およそ手戦の道（武術）は、内は精神を実にし、外は安儀《あんぎ》（落ちつき、平静）を示す。これを見んとすれば、好婦（立派な婦人）に似たり。これを奪わんとすれば懼虎《くこ》（おびえた虎）に似たり。

なにやら禅問答、日本武術の極意でも聞いているような趣である。外柔内剛、ということであろうか。春秋の次の時代＝戦国時代となると、いよいよ鉄製の刀剣が現われた。結果として、「剣」の長さは平均九十センチ（柄十八センチを含む）にのびる。戦場では戦車（二～三人乗り）から、騎馬戦に移行していた。馬上から片手で手綱をとりつつ、もう一方の手で扱ったのは「矛」であり、「長刀」であった。

秦の始皇帝の時代を過ぎ、前漢帝国の時代となると〝文武〟のバランスが登場する。まだ長剣も残っていたが、後漢帝国になると、「佩刀」という記述はあっても「佩剣」という言葉はみうけられなくなる。つまり、両刃の「長刀」が刀剣の主流となったわけだ。

## 二つの古墳鉄剣銘

邪馬台国の卑弥呼を真ん中に挟んで、神話の世界から歴史の世界へと移る日本の過程――その前期古墳から、中国製品とみられる「環頭大刀《かんとうのたち》」が出土した。

京都の椿井大塚山古墳《つばいおおつかやまこふん》や福岡県糸島市の銚子塚《ちょうしづか》などから出土した直刀には、中国漢代を源流とする柄頭に膨らみのある、独特な「環頭大刀」がみつかっている。似たようなものに、「**頭槌直刀**《かぶつちのたち》（**頭椎**《かぶつち》**の大刀**）」といわれるものがある。前者は穴があいており、後者には柄頭に装飾がほどこされた膨らみがあった。

これらはともに、片手で操る「刀」を意味し、柄頭の工夫は全体のバランスを取ることを目的としていた。なおかつ、打ち合いして「刀」が手をはなれたり、飛ばされたり、スッポリ抜けおちたりしないように、その防御のためでもあった。

おそらく刀身が長くなるにしたがって、柄頭の飾りは軽くなったのではないか。何かついていると、かえってバランスが取りにくくなる。日本刀にこれがないのは、原則両手で操るからであろう。逆説的にいえば、環頭がついていては両手での操作は難しい。

古墳の副葬品としては、邪馬台国論争で著名となった三角縁神獣《さんかくえんしんじゅう》鏡《きょう》や内行花文鏡《ないこうかもんきょう》、四《し》神鏡《しんきょう》、画文帯神獣鏡《がもんたいしんじゅうきょう》と同様に、倭国の豪族たちが己れの〝力〟に権威をつけるため、大陸から入手したものであろう。奈良の天理市櫟本《いちのもと》東大寺山古墳出土の鉄刀には、日本製とみられる家屋文（家屋を象《かたど》った文様）、鳥首文（鳥の首を象った文様）などをつけた、銅製環頭があった。鉄刀の刀身の背には「中平□年」と読める金象嵌《ぞうがん》があり、もし後漢帝国の霊帝の元号であれば一八四〜一八八年ということになる。まだ記録をもたない日本＝倭国にとっては、出土する古墳鉄剣銘は、日本の古代史を探求するうえで、極めて重要であった。

たとえば、「稲荷《いなり》台《だい》古墳鉄剣銘」と「稲荷山古墳鉄剣銘」の二つの鉄剣銘――。

ともに古墳時代（弥生時代に続く時代）のものであり、五世紀中頃のものと推定されている。古墳時代のほぼ真ん中になろうか。六世紀初頭から七世紀初頭の後期を抜けると、飛鳥時代にいたる。前者は千葉県市原市の稲荷台一号古墳から出土したもので、鉄剣の表裏に銀象嵌された銘文の一部が残っていた。

（表）王賜□□敬□

（裏）此延□□□□

とあり、これは倭国内で記された最古の銘文といえる。

冒頭に「王賜」とあることから、畿内勢力を中心にした地方の首長が倭国＝ヤマト王権の大王に仕えていて、下賜されたものではないか、と考えられている。

それに対して後者は、埼玉県行田市の稲荷山古墳から出土した鉄製の長剣で、国宝に指定されたもの（埼玉県立さきたま史跡の博物館蔵）。全長七十三・五センチ、身幅《みはば》（刀の棟《むね》から刃先までの幅）が三センチの刀身をもち、表裏に金象嵌された銘文＝百十五文字が判読されている。表には、「辛亥《しんがい》の年（四七一年）七月中記す」にはじまり、この鉄剣の持ち主、古墳に埋葬された人物が、オワケ（乎獲居）であることが知れる。つづいて、オオヒコ（意富比垝）から八代つづく後継者名が記され、裏へとつづく。オワケにいたって、

「――世々、杖刀人《じょうとうにん》の首《おびと》と為《な》り、奉事し来りて今に至る。獲加多支鹵（ワカタケル）大王の寺、斯鬼《しき》の宮に在る時、吾《われ》、天下を左《たす》け治《おさ》む」

と述べられていた。このワカタケルは倭王の武、オオハツセノワカタケ（大長谷若建命・大泊瀬幼武）――すなわち、第二十一代・雄略天皇にあたる。

「此《こ》の百練の利刀を作ら令《し》め、吾が奉事の根原《こんげん》を記す也《なり》」（原文は漢文）

現代語訳すれば、代々、杖刀人の首（首長など威勢のある者）として、ワカタケル大王に仕

え、今に至る。ワカタケル大王の寺が斯鬼宮《しきのみや》（シキ地域〔現・奈良県北西部〕にあったとされる皇宮）にあった時も、天下を治めることを補佐した。このくり返し鍛えられ、よくできた刀を造らせて、その事績を記した、となる。

このオワケを関東の豪族と考えるか、それともヤマト大王の廷臣と置くか、意見の分かれているのも無理はない。判断材料が乏しすぎる。

## 「七枝刀」の意味すること

倭国は当初、バラバラに朝貢し、やがて諸国連合が「矛」を交えず協調外交を展開するようになったかと思われる。ところがやがて、倭国盟主の地位を争って、国々が対立。そこから出てきたのが、卑弥呼であった。

西暦二六六年には、卑弥呼の娘・壱与《いよ》が魏の後継国家である晋に朝貢している。それ以前、「親魏倭王」に冊封（冊をもって爵位を授けること）された卑弥呼は、魏にしばしば朝貢し、その権威を背景に、国内の諸国を統属させていったと考えられる。

ところがその後、どうしたわけか約百五十年間、倭国からの中国大陸への交渉は途絶えた。この外交空白期の間、倭の国内で広がったのが、前方後円墳であり、鉄製の刀剣であった。どうやらこの期間に倭の国内では、のちの鉄砲によって戦国の世が短期日に終息したように、鉄製武器の伝播により、ヤマト王権＝大和朝廷が成立し、その結果として古墳文化をスタートさせたといえそうだ。

ただし、倭は決して鎖国状態にあったのではなく、朝鮮半島との間で凄まじいまでの交流をおこなっていた。紀元前後から『三国史記』の「新羅《しらぎ》本紀」には、倭人が朝鮮半島の南部を侵したことが記されている。一世紀、半島の北部に勢力をもった高句麗《こうくり》は、楽浪郡を倒して、新たに建国した百済・新羅と半島を三分する（四世紀）。

倭は百済・新羅と修交をかさね、中国大陸の文物を半島経由で受け取るようになり、人も同じで、すぐれた技術を持つ人々が海を渡って倭へやって来た。これからみる坂上田村《さかのうえのたむら》麻呂《まろ》の先祖・阿知使主《あちのおみ》しかり。

奈良県天理市の石上《いそのかみ》神宮に伝えられる鉄剣（国宝）は、その頃の倭国の象徴といえようか。左右に各三本の枝身をもつ、特異な形状の「七支刀《しちしとう》」は、『日本書紀』には神功《じんぐう》皇后の条に、百済からの使いが大和朝廷に奉ったとして、「**七枝刀**《ななつさやのたち》」（図1－2）として書き止められている。

刀身の表裏に金象嵌された銘文は、残念ながら完全には読めず、そのため解釈も諸説あるものの、四世紀後半の東アジアにおける倭の位置を伝えていることでは貴重な〝証言〟であった。なにしろ銘文の冒頭を「泰和《たいわ》四年」と読むと、東晋の年号で西暦三六九年となる。
　また裏銘文では「百済王世子」の「奇生《きせい》」（百済国王「貴須《きす》〔きしゅ、とも〕」に比定される）が「倭王旨《し》」のために製造したことが記されていた。これを百済から倭への献上ととるか、百済が倭に下賜したものと考えるか、あるいは両者は対等で、その上位者として東晋があり、東晋が百済を介して倭に下賜したと見るか……。解釈は、とめどがない。

**鉄を求めて朝鮮経営へ**

　権力の源泉である〝武〟——具体的には、兵器を造るための鉄の入手は、そのまま権力の座の存続を左右した。国内の砂鉄では足りなくなった倭は、その供給地を海外へ求め、とりわけ伽耶《かや》（加羅《から》）諸国（四〜六世紀の朝鮮半島南部にあった小国家群）に期待、結果として朝鮮半島に侵攻した倭は、三国鼎立の百済と組み、高句麗・新羅を敵として外交をおこなう。
が、半島経営は失敗。国内政治にも飛火し、大王の権威は大

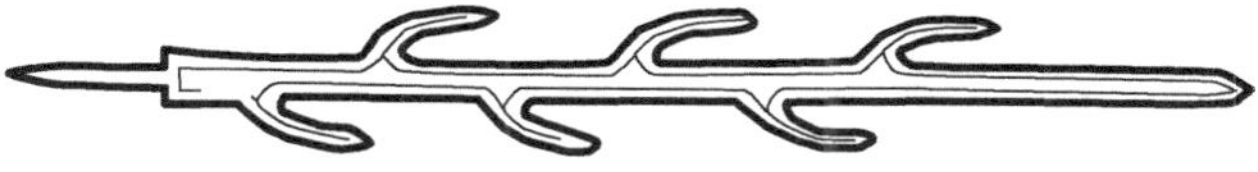

（図 1-2）七枝刀：木の枝のように刃が出ている

いに失墜して、倭では西暦四一三年、倭夷（倭人）が東晋に改めて朝貢し、大陸との国交回復をはかった。

つまり、大和朝廷統治の基盤を、再び中国王朝の権威にすがったわけだ。

具体的には、五世紀の倭の五王（讃・珍・済・興・武）が南朝（中国の南北朝時代に江南を支配した漢民族四王朝の総称）に進貢したのは、将軍号を獲得するためであったといってよい。さきにみた稲荷台古墳の鉄剣銘や、熊本の江田船山古墳《えたふなやま》の「治天下」「大王世」の文字のある、五世紀初頭の反正天皇《はんぜい》（第十八代）のものとされる大刀のような、国内地方豪族への刀剣分与は、その裏返しであったかと思われる。

その倭国が武の上表＝西暦四七八年の遣使を最後に、中国王朝の属邦扱い＝冊封から離脱する。換言すれば、この時点で倭は、独立国としての政治・軍事体制を、一応確立した、ということになる。そして迎えたのが、前述のワカタケル大王の時代であった。

その中国王朝からと、もう一つは倭国内勢力からという、二重の自立を達成するために戦われた戦の一つが、磐井《いわい》の乱であった。六世紀初め、継体天皇《けいたい》（第二十六代）の治世、筑紫（現・福岡県西南部）の豪族磐井が起こした反乱であるが、『日本書紀』では新羅の貨賂《まいない》（賄賂）を受け取った磐井が、倭国の征新羅軍の出陣をさえぎったために起きた、とされているが、問題は、継体天皇そのものにあったように、筆者には思われてならない。

『日本書紀』によれば、仁徳《にんとく》天皇（第十六代）の子孫は六世紀初頭の武烈《ぶれつ》天皇（第二十五代）で絶え、仁徳の父・応神天皇（第十五代）の五世の孫・継体が、越前（現・福井県）から迎えられたことになっている。大連《おおむらじ》（大和朝廷における連姓の最高執政官）の物部《もののべの》麁鹿火《あらかひ》や大伴《おおとものかな》金村《むら》、大臣《おおおみ》（大和朝廷における臣姓の国政の最高官）の巨勢男人《こせのおひと》らの力によって、河内の樟葉《くすは》で即位した、というのだが、これは史実ではあるまい。

おそらくは継体自身が、大和の対立勢力を約二十年かけて根絶やしにして、ようやく推戴される形をとるところまで漕ぎつけた、ということではないか。

磐井の乱は、継体が都を大倭《おおやまと》（のちの大和国）に定めた翌年に、火の国（現・佐賀県と熊本県）と豊《とよ》の国（現・大分県と福岡県の東部）を根拠として勃発している。かなり大がかりな、反乱軍であったろう。大和朝廷は物部麁鹿火、大伴金村の率いる軍により、この乱を制圧した。これにより筑紫の豪族たちは、朝廷に隷属することになったという。

磐井は敗死した。が、もし彼が勝っていれば、継体はおそらく大和から追い出され、かわりに磐井が皇位を継いだかもしれなかった。彼は筑紫に生まれた、応神天皇の後裔《こうえい》を称すればよかったのだから。

継体天皇は勝利したが、その後継をめぐって諸皇子間に争いがあり、各々に豪族勢力の支援がつき、苛烈な派閥争いが繰り広げられた。武烈の死から継体の死までで二十五年、その後も大王の地位は、揺らぎつづけていたように思われる。

なぜ、そうなったのか。畿外勢力の台頭・進出が著しくなったからだ。具体的には、鉄製の武器である。彼らは個別に入手ルートを持つようになり、個別の中国王朝とのつながりが、日本の天皇の自立の足かせとなっていた。

# 第二章　日本刀の黎明期

## 斧と〝節刀〟

読者には、意外に思われるかもしれないが、原始時代の武器はそもそも刀剣ではなく、弓をのぞけばおそらく、石矛と並んで石斧であったろう。馬力、体力があれば、斧の方が強力な武器であったかもしれない。

「矛」が狩猟道具から進化したように、「斧」は森林を切り拓く道具であった。

それがいつしか実践性からはなれて――「矛」の進化に遅れたため――前章でみた継体天皇二十一（五二七）年の磐井の乱のおりには、継体は戦地へ向かう大将軍《おおきいくさのきみ》・物部麁鹿火《もののべのあらかひ》に斧鉞《ふえつ》（おのとまさかり。ここでは大斧）を、自ら手にとって、授けている（『日本書紀』）。これがどうやら、わが国の〝節刀〟の起源のようだ。

のちの奈良時代に入ると、出征する将軍や遣唐使に対して、天皇から賜わる節刀――〝しるしのたち〟とも呼ばれた――の起源は、中国の「節旄《せつぼう》」（天子から将軍や使節に、任命のしるしとして与えられた旗、ヤクの毛＝旄牛《ぼうぎゅう》で飾った旗）とともに、「鉞」（大斧）を征戦に臨む将軍に授けて、その権威を高めようとしたのが、起源だといわれている。

――それがいつから、「刀」となったのか。

わが国で天皇が節刀を授与する儀式を最初におこなったのは、和銅二（七〇九）年三月六日、巨勢朝臣麻呂《こせのあそんまろ》を陸奥鎮東《ちんとう》将軍に、佐伯宿禰《さえきのすくね》石湯《いわゆ》を征越後蝦夷《えみし》将軍に任じて、節刀を軍令とともに授けた、と『続日本紀《しょくにほんぎ》』は述べている。この節刀は、あたえられた任務を無事に完遂することができたおりには、授けた天皇に返上する慣《なら》わしとなっていた。もし、節刀を返さなければ、笞《むち》で打たれたり、拘留されることになっていた（『養老律令《ようろうりつりょう》』）。

皇位継承と朝鮮半島との外交政策を課題として、ときに節刀を賜わる事態をまねきながら、倭の内乱は継体期から欽明《きんめい》期にも起こり、これを克服できたのが六世紀中葉以降であり、筆者は欽明天皇（第二十九代・?～五七一）のおりに、中国王朝の権威に代わる自前の〝武〟が名実ともに、はじめて確立されたのではないか、と考えてきた。

欽明は敏達《びだつ》・用明《ようめい》・崇峻《すしゅん》・推古の四代天皇の実父でもあった。そして、ときの隋《ずい》帝国に敢然と、対等を主張したのが用明の子、推古の摂政・聖徳太子こと厩戸皇子《うまやどのおうじ》となる。

舞台は、飛鳥へと移った。もっとも大和朝廷は、当初から飛鳥——大和三山地方——に定住していたわけではない。この地に、都を最初に定めたのは第十九代・允恭《いんぎょう》天皇であった。中国の史書『宋書』「倭国伝」に、倭王済《せい》と書かれた人物である。

以来、都は天皇の代がわりのつど移ったが、どういうわけか大和朝廷は、飛鳥を離れたかと思えば、いつのまにかこの地へ戻ってくる、ということをくり返していた。

## 聖徳太子の「丙子椒林剣」

飛鳥に大和朝廷が栄えた時代、西暦でいえば五七四年に厩戸皇子は生まれた（五七二年説もある）。かつては聖徳太子と呼称されたが、現在の教科書では否定されている。

父は用明天皇（第三十一代）であり、母は穴穂部間人皇女《あなほべのはしひとのひめみこ》。両親はともに、政界の実力者・蘇我稲目《そがのいなめ》の娘を母としていた。崇峻天皇五（五九二）年、推古天皇が即位し、翌年四月、厩戸皇子は二十歳前後で摂政となった。

今日、その業績としてあげられるものに、冠位十二階（推古天皇十一年）と十七条の憲法（翌年）があるが、さらにまかされたものの一つに、外交があった。

とはいえ、推古朝初期の外交は、それまでの歴代朝廷の方針を踏襲し、新羅に奪われた任那《みまな》の回復を目ざすという、従前と変わらぬものであり、皇子の出番など特段なかったのである。大臣・蘇我馬子《そがのうまこ》は、皇子の活躍を期待していなかった。

ところが、中国大陸にあった隋——建国は五八一年——が、南北朝の統一をはたし、大国となって大陸に君臨するようになる。皇子はこの隋と直接、国交を結ぶ決意を固めた。

十七条の憲法を作ったとされる三年後、小野妹子《おののいもこ》を隋に派遣し、

「日《ひ》出《いず》る処《ところ》の天子《てんし》、書《しょ》を日没《ぼっ》する処の天子に致《いた》す。恙無《つつがな》きや」（『隋書』東夷伝《とういでん》）

と、日本の国書をときの隋の煬帝《ようだい》へ奉った。

煬帝は、日本の国書を一読して激怒する。鴻臚卿《こうろけい》（外務大臣）に対して、「蛮夷《ばんい》の書、無礼なる者有り、復《ま》た以《も》って聞《ぶん》する勿《なか》れ（二度と奏上するな）」と国書をつき返したという。

今日なお、誤解している人が多いのだが、煬帝は「日出る処」と「日没する処」を対比させた、小国の日本が大国の隋と対等に口をきいたことに憤ったのではなかった。より重大であったのは、この世に一人しかいないはずの〝天子〟を、日本ごときが私称したことが許せなかったのだ。本来なら、すぐさま倭国征伐に出撃したかったかもしれないが、隋は目下、高句麗征伐の準備におおわらわであり、高句麗の南に位置する日本を、敵にまわすのは得策ではない、との判断が煬帝には働いた。

こうした隋の事情により、国内とは別に、もう一つの課題であった、中国からの自立を、皇子は形にすることに成功する。隋との対等国交を結び、さらには朝鮮外交を日本優位にすすめようと企てたのだが、この作戦は隋が滅亡したことで潰《つい》え去ってしまう。

『日本書紀』に拠れば、十七条の憲法を制定した翌年、太子は大和斑鳩宮《いかるがのみや》に移ったと伝えられる。失意の中で晩年の皇子は、仏教の経典を研究し、仏教思想を深めることに己れのすべてを注ぐようになった。推古三十（六二二）年二月二十二日、厩戸皇子は四十九歳をもって没したとされる（異説あり）。

――以前、日本刀展で〝聖徳太子〟の佩刀「**丙子椒林剣**《へいししょうりんけん》」をみたことがある。切刃造《きりはづく》り（鎬《しのぎ》と峰との間が広く、刃方の肉の勾配《こうばい》が急な造り）の直刀で、刀身は二尺（約六十・六センチ）にもみたない。華奢《きゃしゃ》な装いからは、とても実戦向きとは思えなかった。

おそらく社交上、朝廷で用いられたものであったろう。こうした儀礼用に用いられたものが、後世、脇差的な役割をになわされ、小太刀化していくことになる。

「丙子椒林剣」は実に研ぎ上がりの優れた名宝であり、硬軟の鉄を組合わせて造ったかどうかまでは不明だが、折り返し鍛錬法を用いて製造されていたに違いない。隋から渡来したともいわれるが、当時の隋にこれほどの鍛刀技術があったかどうか。

もし、聖徳太子が隋との外交を念頭に置いていたならば、日本の底力をみせるためにも、国産の佩刀を、隋の使節団にみせたのではないか、との想像も働くというものだ。

## 大刀、小刀、半太刀

「大化改新」以前、豪族たちは各々の、力の象徴として刀剣を自由に帯びる（吊るす）ことができたが、中大兄皇子《なかのおおえのおうじ》らが蘇我入鹿《そがのいるか》を暗殺した「乙巳《いっし》の変」により、孝徳天皇（第三十六代）の時世、朝廷内ではみだりに刀剣を帯びることが禁止されるようになった。

以来、刀剣は許可を得た者のみが帯用できるものとなったのだが、『日本紀略』（全三十四巻・編者未詳・平安末期成立）の永観元（九八三）年二月二十一日の条に、「京中畿内、弓箭《きゅうせん》（弓矢）兵仗《ひょうじょう》を帯《お》びたるの輩《やから》、之《これ》を捕え糺《ただ》すべきの由《よし》、宣旨《せんじ》において検非違使《けびいし》に下さる」とあり、永延元（九八七）年正月三十日の条には、「重禁兵仗」とあった。

つまり、「兵仗」すなわち「剣」や「矛」の武器＝いくさ道具を身にまとって、都を徘徊する輩が増えたことを物語っており、いくら禁止しても一向に減らない。この場合の「刀」は、直刀（大刀）であり、やがて平安時代に彎刀《わんとう》（太刀）が登場し、徐々に定着する。

ここで、用字の混乱を防ぐために、「太刀《たち》」と「大刀《かたな》」と書きわけることが慣例となった。ただし、「太刀」は腰に佩《は》く（吊るす）ものであり、刃は下になっている。これに応じて以後の時代、「刀」＝「大刀」は刃が上で腰に帯びるもののことをいうようになった。

また、帯に刃を上に向けて差す「大刀」は「打刀《うちがたな》」とも呼ばれ、この流布により、「大刀」の中に「大打刀《おおうちがたな》」と称するものも出現。〝大〟が主力となると、従前のものは「大刀《だいとう》」とも呼ばれるようになる。

この「大刀」を基準に、それより短いものを「差副《さしぞえ》」（指副とも）――なかでも鐔刀《つばかたな》を「小刀」と称し、「大刀」と「小刀」の二つを武士は腰にするようになる。「両腰」「両刀」はこのことである。「大小」とも称したが、この場合は一応、同じ鞘塗《さやぬり》、揃いの金具・柄《つか》巻《まき》が用いられている〝一組〟を指した。幕藩体制以後の呼称と考えてよいと思う。

その証左に戦国時代、織田信長の部将から、加賀百万石の基礎を築いた前田利家の「蒔《まき》絵《え》朱鞘《しゅさや》大小（朱塗雲龍文蒔絵大小拵《うんりゅうもんまきえだいしょうこしらえ》）」（重要文化財）は、「大小」とはいうものの、鐔や目貫《めぬき》は同じではなかった。二本差しの、過渡期の産物といえようか。

ついでながら、「大刀」と「小刀」の中間に、〝半太刀《はんだち》〟というのも出現した。のちの長ドスに転化したとも考えられる。

さらに「太刀」は、柄《つか》に「兜金《かぶとがね》」（柄頭を覆う金具）と「間塞《まふさぎ》」（目貫）、「縁金物《ふちがなもの》」（柄頭の逆側につけられる金具）、「切羽《せっぱ》」（鐔が柄と鞘に接する部分の両面にそえる薄い金物）をほどこし、太刀を入れる鞘にも「縁金物」に帯執《おびとり》の「足金物」（鞘につける帯執の革緒《かわお》を通す金具）、「責金《せきがね》」（鐔に隙間なく装着できるように調整するための金具）、「石突《いしづき》」（鞘尻）の金物を具備するようになった。これらは用いる素材により、金装、銀装、鳥装《ちょうそう》などと呼ばれるようになる。

**「打出太刀」**

朝廷やのちの幕府の儀仗《ぎじょう》（儀式用）に用いられたのは、多くが金装——礦金で黄金造《こがねづくり》のものであり、その鞘には金粉を散らして螺鈿《らでん》や蒔絵がほどこされていた。

金装につぐ銀装は白金造《しろがねづくり》ともいい、朝廷での凶事のおりには、黒漆銀装いが用いられたという。普段は、地下《じげ》の官人（六位以下）が朝廷で用いていた。

鳥装は銅質黒漆塗りで、別に〝黒造〟ともいった。こちらは無位の武官用である。なお、彼らのうち、衛府《えふ》の官人が用いた「兵仗」を野太刀と呼んだようだが、この外装には規則はなく、各々の好みにまかせて、一応自由とされていたが、度かさなる倹約令をみるかぎりでは、つくりは常にきらびやかなものを否定する傾向が強かったようだ。

——武士は実用中心に、「刀剣」の趣向をこらした。なかでも刃方と棟方に覆輪《ふくりん》（鐔の縁などを金や銀で飾ること）をかけた太刀が長い期間、流行している。

覆輪には、黄覆輪《きんぷくりん》（縁飾りの覆輪に、金または金色の金属を用いたもの）と白覆輪《しろぷくりん》（銀または銀色の金属を用いたもの）があり、白覆輪の間に銀の薄板を被《かぶ》せたのを白太刀といい、黒漆の鞘に金銀の平文《ひょうもん》（薄板を漆面にはり、漆で塗り埋めたのち、小刀などではぎ出し、また木炭でとぎ出す技法）を打ち出したものを「打出太刀《うちでのたち》」とわざわざ名づけている。

鎌倉時代の末期・南北朝時代の初期あたりから、柄鞘全体を揉韋《もみかわ》（鹿の皮を加工してやわらかくしたもの）で包んだ「韋包《かわつつみ》の太刀」が広く愛好され、つぎには柄や鞘の二の足（鞘の帯執を通す二つの足のうち、鐺《こじり》＝鞘の末端の部分に近い方）を組糸や韋緒で巻いた、糸巻や韋巻の太刀が流行し、戦国の世を経て徳川の時代にまで及んでいる。

## 坂上田村麻呂と〝征夷〟

わが国初の征夷大将軍といわれる坂上田村麻呂（史実は別）は、延暦二十（八〇一）年二月十四日、ときの桓武天皇に節刀を賜わり、十月二十八日に凱旋して節刀を返上したが、そのおりの朝廷の喜びは史上例のないものであったに違いない。

なにしろ田村麻呂の〝征夷〟まで、朝廷は白村江以来の危機の連続、まさに危急存亡の秋《とき》を迎えていた。うちつづく天災に加え、東北地方に蟠踞《ばんきょ》する蝦夷《えみし》の叛乱は一向に終息せず、軍費の支出は増大しつづけ、国家財政は破綻寸前に追いつめられていた。一時、蝦夷平定をあきらめ、まずは内政を整えてはどうか、との意見が朝廷の大勢を占めたが、桓武一人がこれをきかず、あろうことか〝征夷〟に加えて、さらに「造都《ぞうと》」＝遷都の計画まで打ち出し、消極的な朝廷内の論調を一掃してしまった。

なるほど、〝征夷〟が成功すれば、北方からの慢性的な脅威はなくなり、領土も拡大され、国家財政にもゆとりが生じる。それによって、遷都の諸費をまかなえ、人心を一新することにもなったろう。だが、一方の蝦夷征伐が失敗すれば、どうなるのか。事実、この懸念は実際のものとなった。北伐は司令官（持節征東将軍）の大伴家持《おおとものやかもち》が急死したことで暗礁に乗り上げ、他方の長岡京造営も責任者の藤原種継《たねつぐ》が暗殺されて頓挫してしまう。

にもかかわらず、桓武帝は強引な方針を改めようとはしない。長岡京から、平安遷都の難事業をさらに追加。この造営資金の捻出も含め、帝はすべてを蝦夷平定に賭けた。

延暦七年、節刀を賜わり、軍勢五万を率いて出征した、征東大将軍（大使とも）の紀古佐《きのこさ》美《み》は、蝦夷の大族長・大墓公阿弖流為《たいものきみあてるい》と磐具公母礼《いわぐのきみもれ》の連合軍に、散々に破られて、惨憺《さんたん》たる結果となってしまう。もはや兵力も底をつき、軍費にまわす財源も枯渇した紀古佐美は、征討軍を解散。翌年九月には長岡京へ帰り、節刀を帝に返上している。もとより、平安遷都の実施も危うくなってしまった。こうした最悪の状況の中で、桓武帝が切り札として選んだのが、坂上田村麻呂であった。この年、彼は三十三歳。

翌々年七月、征討軍人事が発表された。大伴弟麻呂（六十一歳）が司令官（征夷大使―征東大使―征夷大将軍―征夷将軍）に任ぜられ、副将軍（征夷副使―征東副使）に田村麻呂が選出された。弟麻呂は延暦十三（七九四）年正月に、「節刀」を賜わっている。が、翌年正月二十九日には、はじめてみる平安京に戻り、節刀を帝に返上していた。しかし、田村麻呂の戦いはつづいている。国運のすべてが、彼の双肩にかかっていた。田村麻呂は決戦を避け、寸土を刻み取るように防衛陣地を構築しては、徐々に北上し、その一方で中国古典兵法の極意「戦わずして勝つ」を実践した。帰順説得工作である。

## 蝦夷の短刀

武人とすれば田村麻呂も、野戦即決――正々堂々の合戦をやりたい、との思いは強かったろう。しかしながら、勝機が見出せぬ限りは、国運を左右する一大決戦はできない。田村麻呂は武具よりも、鋤《すき》や鍬《くわ》を重視した。兵とともに多数の入植者を軍中に加え、野山を耕しつつ、蝦夷と対峙《たいじ》する戦法を採用する。

すると、それまでは好戦的な征討軍しか見たことのない蝦夷の中に、期せずして動揺が生じる。一向に戦いを仕掛けてこない田村麻呂を、彼らはいぶかりはじめ、眺め、やがて誼《よしみ》を通じて農耕を学ぶ者が現われた。田村麻呂はそうした部族を巧みに懐柔し、連合体の蝦夷社会を分裂させ、ついに〝征夷〟の目的を達成するにいたった。

この〝征夷〟で忘れてはならないのが、武器・武具の改良進歩であった。なにしろ時代は、政変つづきであったとはいえ、大きな戦は蝦夷征伐以外にはなくなっていた。

当時の甲冑《かっちゅう》などの製作資材・工程については、『延喜式《えんぎしき》』が詳しい。たとえば革短甲冑《かわたん》一具を造るには、鉄・牛革・馬革・鹿革・帛《はく》（白絹）・調布《ちょうふ》・綿・苧《お》（からむしや麻で作った糸）・漆・絞綿《しぼり》・商布が必要であった。武器は梓弓《あずさゆみ》に征箭《そや》――その鉄鏃《てつぞく》（矢じり）、甲小札《よろいこざね》など。

岩手県奥州市水沢区の鎮守府八幡宮には「伝田村麻呂奉納宝剣」が現存しているが、京都の高山寺蔵「将軍塚絵巻」にみるごとく、奈良から平安初期にかけての武将は、鎧兜に弓箭《きゅうせん》を担ぎ、手に弓を持って腰には直刀を吊るしていた。

このスタイルで、都での合戦ならば通用したのであろうが、東北の山野ではとても動きがとれなかったであろう。併せて蝦夷の用いた「蕨手刀《わらびてとう》」、「立鼓刀《りゅうことう》」などと、明治以降に命名された「刀」は、いずれも短寸で、刀身と柄が鉄でできており、「蕨手刀」は柄が棟《むね》方《かた》（棟の方）へ反って細くなり、先がそれこそ早蕨《さわらび》のように丸くなっていた。「立鼓刀」は、柄が握りやすいように中央が細くなっている。

当然、勝てない蝦夷に対する研究の過程で、これらの「刀」は研究されたであろうし、帰順した蝦夷の「俘囚《ふしゅう》」（『続日本紀』神亀二年閏正月四日条初見）の鍛冶が、都や他国への移住を働きかけられたこともあり得、刀剣の短刀には特に影響を与えたことが考えられた。

「怒りて眼《まなこ》を廻《めぐ》らせば猛獣も忽《たちま》ち斃《たお》れ、咲《わら》ひて眉を舒《ゆる》めば稚子《ちご》も早《すみやか》に懐《なつ》く」（怒って眼をめぐらせば、猛獣もたちまち倒れ死に、笑って眉をゆるめれば、赤ん坊もすぐになつく）

これは『群書類従《ぐんしょるいじゅう》』巻六十四の「田邑麻呂伝記」における田村麻呂像である。

延暦十六（七九七）年十一月五日、「征夷大将軍」（呼称が定まってはじめて）に任命された彼は、見事に蝦夷を平定すると、その後は参議、中納言へと昇進。桓武帝のあとは、平城《へいぜい》─嵯峨の二帝に仕え、弘仁《こうにん》二（八一一）年五月二十三日、五十四歳で病没している。

勅命により、立ちながら甲冑兵杖を帯びた姿のまま、田村麻呂は葬られた。

「死んでなお、平安京を守護し給《たま》え」

そこには切実な朝廷、民衆の願いが込められていたのである。

ついでながら、武士が台頭し、朝廷の力が弱くなると、節刀は必然的に姿を消した。

日本ではじめて天下統一を成さしめた豊臣秀吉が、天正十八（一五九〇）年の小田原征伐に際して、ときの後陽成《ごようぜい》天皇（第百七代）から節刀を賜わった、と『徳川実記』にはあるが、その返上が定かではなかった。単なる餞《はなむけ》であったようにも思われる。

二度にわたる朝鮮出兵しかり。否、北条時宗《ときむね》の蒙古襲来のおりであっても、節刀のセレモニーはなかった。いずれもときの帝は、反対であったのだろう。

天慶二（九三九）年の平将門《たいらのまさかど》の乱のおり、朱雀《すざく》天皇（第六十一代）が平貞盛《さだもり》に節刀を与えて以来、絶えて久しく、節刀が日本史に復活するのは、幕末になってからのこと。

幕府の力が欧米列強の軍事力を前に、揺らぎはじめたとき、孝明天皇（第百二十一代）が石清水《いわしみず》八幡宮へ攘夷の祈願に行幸することとなった。その供奉《ぐぶ》を命じられた攘夷の実行責任者＝征夷大将軍＝十四代将軍・徳川家茂《いえもち》に、帝が節刀を授けることになったのだが、〝征夷〟に自信のない将軍家茂は、病いと称して供奉せず、代理の一橋慶喜《ひとつばしよしのぶ》（のちの十五代将軍）にいたっては、にわかの病いを口実に、詔命そのものを辞退して逃げた。

節刀は逃げた武士を追うように、明治維新のおり、鳥羽・伏見の戦いにおいて、明治天皇（第百二十二代）から仁和寺宮嘉彰親王《にんなじのみやよしあきら》に、錦旗《きんき》とともに授けられた。慶応四（一八六八）年正月四日のことであり、親王は同月二十七日に目的を達して節刀を返上している。

つづいて二月十五日、東征大総督に任ぜられた有栖川宮熾仁親王《ありすがわのみやたるひと》は、同じく錦旗とともに節刀をたまわり、江戸へ進軍。同年十一月二日に帰京し、参内《さんだい》して、錦旗とともに節刀を奉還した。これが節刀の、最後となった。

では最初の節刀は、どのような形のものであったのだろうか。筆者は正倉院に残る「金《きん》銀鈿荘 唐大刀《ぎんでんかざりのからたち》」のようなものではなかったか、と想像している。

### 「小烏丸」と平貞盛

坂上田村麻呂の活躍により救われた桓武天皇は、ある時、ようやく手にした自慢の平安京の、南殿に自ら登った。その時、上空から三本足の大きな烏《からす》が舞いおりてきて、自らを伊勢神宮の使いだ、と名乗ったという。

神武天皇の東征に協力したのは八咫烏《やたがらす》であり、熊野の本宮大社、速玉《はやたま》大社、那智大社の三山に祀られているのは、確かに烏であったが、伊勢神宮と烏とは、妙なとりあわせである。しかもこの烏は、飛び去る際に「刀」を置いていった。

桓武帝はこの「刀」に「小烏丸《こがらすまる》」と名づけた。刃長、二尺七分（約六十三センチ）。「壺切御剣《つぼきりのみつるぎ》」（後述）に似て、反りのある鋒《きつさき》両刃《もろは》となっていた。無論、烏に「刀」は打てない。打った刀工は、大和国宇陀《うだ》郡（現・奈良県宇陀市）の住人・天国《あまくに》だという。

天国は伝説の名工で、大同年間（八〇六〜八一〇）頃の人という。ちょうど、桓武帝、坂上田村麻呂と同時代の人といってよい。

この天国の作刀と断じられるものは、残念ながら現存していない。それでいて応永三十（一四二三）年の鎌倉末期の写本＝観智院本『銘尽《めいづくし》』に「小烏丸」の作者とあった。おそらく平城京の時代に、官営の工房を営む集団があり、平安時代に入ってからは神社仏閣の庇護のもと、勢力を保っていた人々の、最大公約数が天国になったのではあるまいか。イメージとしては、南都から出て鎌倉で成功した仏師・運慶と筆者は重ねているのだが。

「小烏丸」の刀身にはわずかな反りがあり、直刀から彎刀へと移る過渡期の一振りといえた。それを大烏が、どこからか失敬してきたのだろう。

第一章でみた「大刀契《だいとけい》」で、皇室に秘蔵された「小烏丸」はその後、節刀の説明でふれた平将門の乱のおり、常陸掾《ひたちのじょう》兼押領使《おうりょうし》に任じられた平貞盛が、ときの朱雀天皇から下賜され、「新皇《しんのう》」を私称して挙兵した将門を、常陸の豪族・藤原秀郷《ひでさと》とともに討ちとり、以来、平家の宝刀となった。「小烏丸」の由来については、将門が分身の術よろしく七人に分れ、どれが本物か見分けがつかなくなったおり、その一人の兜に烏がとまり、それを「斬」したところ、本物の将門であったので、その「刀」を「小烏丸」と名付けたとも。

将門を討つことで躍進した平家は、清盛の時代には最盛期を迎えた。

「此《この》一門（平家）にあらざらむ人は皆人非人《にんぴにん》なるべし」（『平家物語』巻一）

「小烏丸」は平家一門に、ことのほか大切にされたが、残念ながら、清盛の死後、壇ノ浦の戦いで平家一門が敗れたおり、「草薙剣」とともに海中に没してしまう。

ところが、熱田神宮の「草薙剣」と同様に、江戸期になって、なぜか有職故実《ゆうそくこじつ》を司る伊勢家に存在が確認され、明治維新後は対馬の宗《そう》氏へ渡り、明治天皇に献上された。

大和物の名刀ではあるが、造られたのは平安後期、現在の柄鞘の拵《こしら》え（刀の柄・鞘に施す、細工や塗りなどの外装）は江戸期のものとの定説があるが……。

**「御剣」と魔除け**

平安時代の歴史物語に、『栄花物語《えいがものがたり》』がある。藤原道長―頼通《よりみち》父子の栄華を中心に、平安貴族の生活を物語風に描いたもので、正編（一〇二八～三七）と続編（一〇九二年以降か）に分かれ、正編の作者は女流歌人の赤染衛門《あかぞめえもん》が有力視されているが、確証はない。

この中に、敦成《あつひら》親王が誕生した場面があり、次のようなくだりが出てくる。

「御湯どの〻儀式言へば疎《おろか》にめでたし。まことに内より御剣《みはかし》即ち持て参りたり」

意味は、「御湯殿《おゆどの》の儀式（生まれた皇子に産湯を使わせる儀式）のことを言えば、心もゆるみ、めでたいことである。すぐに内裏《だいり》から御剣をもってきた」といったところだが、問題は文中の「御剣」である。宮中では皇子が生まれると、帝から「御剣」が授けられる習慣があったが、〝みはかし〟には他に、「御護刀」「御佩」「御刀」「御帯刀」「御佩刀」の漢字が当てられていた。つまりは、守刀《まもりがたな》のことである。中世においても近世にあっても、日本には悪霊、物怪《もののけ》などの化物が人間を狙っている、と信じられていた。刀剣の鞘を払う行為や弓の弦《げん》（つる）をかき鳴らす動作が、魔除けと考えられてきた。

もともとは朝廷内の公家の風習であったが、平清盛の権勢やそれにつづく鎌倉幕府の誕生により、武家にも貴族ができ、『吾妻鏡《あずまかがみ》』にも「御護刀」を御家人に命じて献上させたことが出ていた。家臣が主君へ進上するのがルールで、これは主従の絆を確認することにつながり、応安元（一三六八）年に室町幕府三代将軍・足利義満が元服したおりには、砂金や鞍馬《あんば》（鞍《くら》をおいた馬。あんま、鞍置馬《くらおきうま》とも）とともに、太刀一腰（一振り）を送っている。

別途、「御剣」も同断。ちなみに「引出物」という言葉は、馬を贈る際、座敷にあげることができず、庭に引き出してご覧いただく――との言い回しから、この名がついた。刀剣もやがては目録だけとなり、実物は別に送っておくようになる。

さらに、目録から保証書だけが独立し、「折紙《おりかみ》」と呼ばれて定着した。

寛永三（一六二六）年九月六日、上洛した江戸幕府三代将軍・徳川家光は、ときの後水尾《ごみずのお》天皇（第百八代）に鎌倉時代の名刀「雲生《うんしょう》」を献上し、この名刀はその後、代々、第一皇子の生誕とともに、守刀として伝えられたという。

残念ながら明治以後は、この風習自体がなくなってしまった。

## 「壺切御剣」と藤原摂関家

刀剣と皇室には、多くの決まりごとがあった。

その一つが、天皇の位を受け継ぐ「践祚式《せんそしき》」には、かならず神剣と八尺瓊曲玉《やさかにのまがたま》とを、先帝が新帝に引き渡すという、「剣璽《けんじ》（三種の神器のうち、草薙剣と八尺瓊曲玉のこと）渡御《とぎょ》の儀」がとりおこなわれた。

かと思うと、皇太子に相伝する剣——立太子の儀において、重要な役割を果たす刀剣も、皇室には存在した。なかでも有名であったのが、「**壺切御剣**」であろう。

この「剣」は平造《ひらづくり》（刀身の両面が平らなもの。図2－1参照）で鋒《きつさき》が両刃となっていた。二尺一分（約六十一センチ）で、もとは太政大臣の藤原基経《もとつね》が宇多《うだ》天皇（第五十九代）に献上したもの。宇多帝はこれを敦仁《あつぎみ》親王（のちの第六十代・醍醐天皇）の立太子のおりに与え、以後、それが慣例化したという。ちなみに右の基経は、幼少の天皇を後見する「摂政」と、成人後の天皇を補佐する「関白」を分化定着させた人物として、歴史に名を残している。

それから時は流れ、長和五（一〇一六）年正月となった。ときの後一条天皇（第六十八代）は敦明《あつあきら》親王を皇太子に立てたが、ときの権力者＝左大臣・藤原道長（基経の玄孫《やしゃご》）は、この親王が自らの藤原氏（北家）の縁戚関係にないことを嫌い、伝授の「壺切御剣」を渡さぬように工作した。結局、親王は皇太子をあきらめ、辞退することになってしまう。

ところが、藤原摂関家が独占した朝廷はつづかず、治暦四（一〇六八）年、道長の娘・嬉《き》子《し》を母とする後冷泉《ごれいぜい》天皇（第七十代）が、皇子の誕生をみないまま没し、東宮（皇太子）の尊仁《たかひと》親王が即位した。これが後三条天皇（第七十一代）であり、この帝の母は禎子《ていし》内親王であった。わかりやすくいえば、藤原摂関家との外戚関係をもたない帝が、実に百七十年ぶりに登場したわけである。

「朕《ちん》は藤原の掛《かか》り子にあらず」

後三条天皇は年号を「延久《えんきゅう》」と改め、関白の藤原教通《のりみち》（道長の五男）を置きながらも、天皇親政を志したが、教通の巻き返しに諸事を妨害されてしまう。

「従来の仕組では、なしがたし」

熟考した末に帝は、ついに規律に縛られた天皇の座を退き、実権のみを握って、新しい

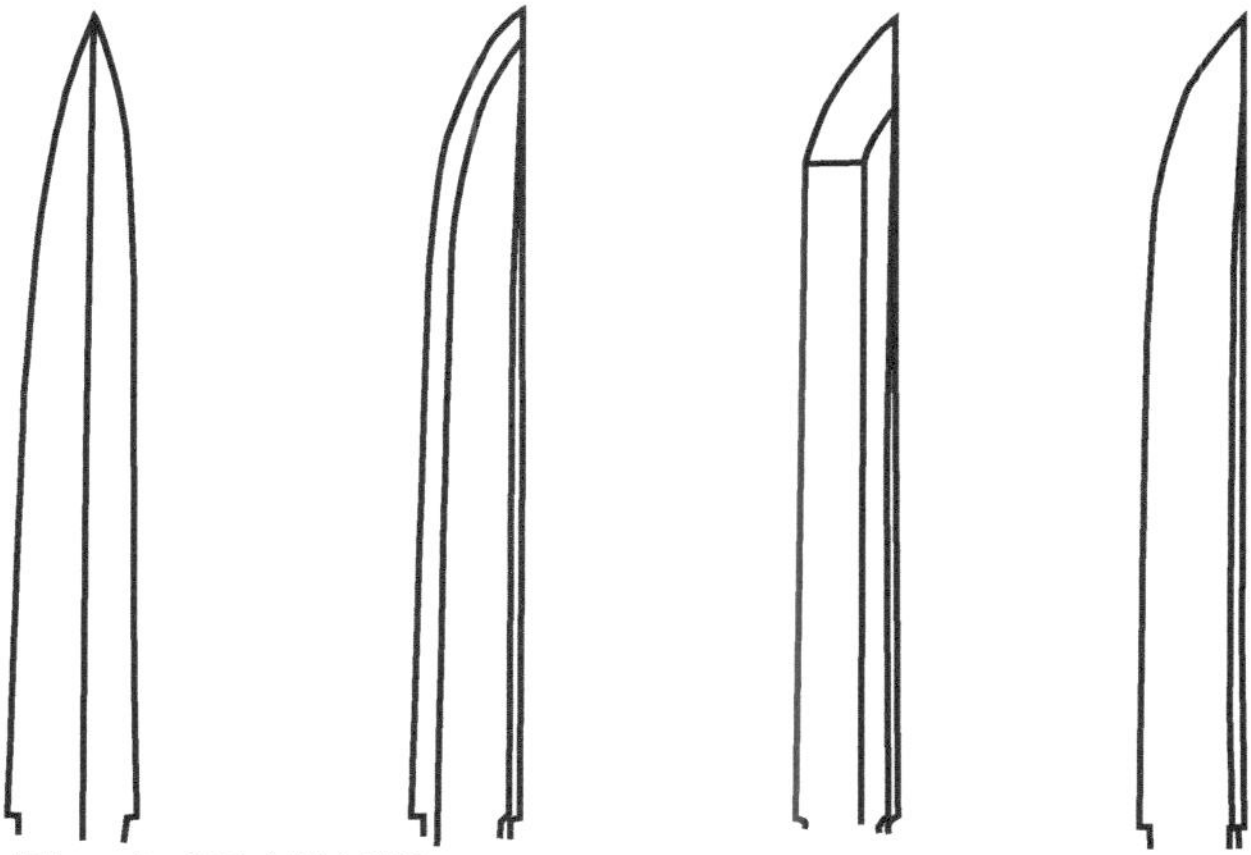

（図 2-1） 多種多様な造込

政治機構をつくることに思いいたる。それが「院政」であった。

延久四（一〇七二）年、帝はにわかに位を白河天皇（第七十二代）に譲り、ただちに院《いん》庁始《ちょうはじめ》をおこなって、院司を任命。「院蔵人《いんのくろうど》所《どころ》」を設置した。

ところが、反摂関政治を標榜した後三条帝は、半年で病没してしまう。動かしたのは、次の白河天皇で、唐突に「院政」を開始した。応徳三（一〇八六）年十一月、白河帝は八歳のわが子・善仁《たるひと》親王（のちの第七十三代・堀河天皇）にいきなり位を譲り、院政を始めた。ちなみにこの白河帝は、平清盛の実父とも噂された人物であり、藤原摂関家の内紛とともに、刀剣を手にした武士を、この世に出すきっかけをつくることになる。

ところで「壺切御剣」はその後、どうなったのか。代々、皇太子に継承され、明治天皇から大正天皇にまで伝えられ（『明治天皇紀』）、後世に残った。

## 院政と僧兵

応徳三（一〇八六）年十一月、白河天皇がわが子・善仁親王にいきなり位を譲ったとき、関白は藤原師実《もろざね》（頼通の子）であり、師実は中宮賢子《けんし》（堀河天皇の実母）の父ということになっていたが、賢子の本当の父は村上源氏出身の源顕房《あきふさ》であり、師実は養父にすぎなかった。そのため朝廷では、師実と顕房が並んで権力を握る形になる。

白河上皇は院庁を開き、堀河―鳥羽―崇徳《すとく》の三帝にわたって四十余年、「院政」を敷くことに成功する。「院」は、〝治天《ちてん》の君〟と呼ばれ、

「天皇は東宮（皇太子）のごとし」

という状況となり、藤原摂関家を押さえ、朝廷の政治権力を奪っていく。

この上皇をしても、どうすることもできない、「天下の三不如意《ふにょい》」というのがあった。

「賀茂川の水、双六《すごろく》の賽《さい》、山法師は、是《こ》れ朕が心に従《したが》はざる者」（『源平盛衰記』）

三不如意のうち、「賀茂川の水」とは賀茂川＝鴨川の治水のこと。当時はしばしば氾濫

し、都の人々の脅威となっていた。原因は平安京の造営で、強引に鴨川の流路を変更したものの、この頃の土木技術では、うまく河川をつけかえられなかったようだ。

二つ目の「双六の賽」は、さいころの目。なるほど、これも自在に目は出まい。

さて、問題は三つ目の「山法師」である。直截には比叡山延暦寺の僧兵を指し、広域には〝南都北嶺《なんとほくれい》〟を中心とする寺院勢力全体を指したともいえる。なかでもとくに有名なのが、「山法師」と呼ばれた延暦寺、「奈良法師」と呼ばれた東大寺・興福寺、「寺法師」と呼ばれた園城寺《おんじょうじ》の僧兵たちであった。

これら僧兵は袈裟で顔を包み、目だけを出し、「太刀」を佩いて、薙刀《なぎなた》をもちながら、たがいに勢力争いをくりかえすだけでなく、しばしば神木や神輿を担いで——神仏習合のため——朝廷に乱入、「嗷訴《ごうそ》」（仲間を集めて訴え騒ぐ）して、自分たちの要求を呑ませた。

一般に中世を、公家と武家に割り切って考えがちだが、もう一つ、宗教勢力のあったことを忘れてはならない。本来、殺生を禁じ、善行を積み、慈悲をほどこすのが役目であったはず。にもかかわらず、彼らは平安時代の中頃から武装し、徒党を組んで、積極的に人を危《あや》めるようになったのである。併せて、僧侶や神主が武器を進化・発展させてもいた。

もっとも、氏神への奉剣——これは神社の場合であるが——のみならず、死霊をしずめ、極楽浄土を説く寺院においても檀家が存在した。だが、古代国家の財政が藤原摂関家の政治で歪められ、摂関家以外の貴族は衰亡の一途をたどるようになり、やがてはその藤原氏も、白河上皇による「院政」開始で、以前ほどの力がもてなくなってしまう。

## 僧兵の武器としての薙刀

神社仏閣は好むと好まざるとにかかわらず、自らの手で所帯を維持していかねばならなくなった。信者の獲得、神威・仏法の拡大も重大事ではあったが、それ以上に、所有地＝荘園の拡張と維持が最大の懸案となる。朝廷はたびたび荘園整理令を発し、地方の国司はこれにしたがって荘園を抑圧、国衙領《こくがりょう》＝国有地を拡大しようとしていた。そのため荘園に基礎を置く神社仏閣は、己れの利益を守るために立ちあがらねばならなくなる。

国衙のさしむけた使者は、しばしば武力をもって荘園に侵入した。これに応じるには、神社仏閣も武装せざるをえない。「弓馬の芸」に優れた傭兵に頼ることもあったが、僧侶・神官たちも、みずから武器をとった。厳密には、身分の低い者＝下衆《げす》が主体である。

そもそも自衛のためであったが、たとえば物語に登場する弁慶のような格好をし、覆面して兵仗《ひょうじょう》を身につけ、高下駄を踏みならして山を駆けめぐるうちに、山法師たちはその行為に酔い、言動を逸脱するようになってしまう。僧兵の、出現であった。

彼らの主要の武器が、薙刀であった。「奈木奈多」（『本朝世紀《ほんちょうせいき》』）と記されたこの武器は、十二世紀に入って登場し、下衆を中心に広まった。平安末期、源平の武士団が京へのぼってくるまで、「院」や公家政治の首都であった都には、まとまった常駐兵力などなかった。それだけに、薙刀のような長柄の武器をもつ僧兵は、なるほど「院」にとっても脅威であったろう。薙刀が日本刀に及ぼした大変な影響については、第四章で述べる。

記録によると、天平宝字八（七六四）年の藤原仲麻呂（恵美押勝《えみのおしかつ》）の乱のとき、近江の修行僧＝沙弥《しゃみ》（さみ、とも）が朝廷軍＝官軍を助けて賞を受けており、これをもって僧兵のはじまりとする説もあるようだが、一般には平安時代に入って、寺院などが自衛のため荘園から子弟を集め、兵として教練したのがはじまりとされている。

さしもの白河上皇も、相手は神威仏罰をもち出してくるだけに、藤原摂関家と戦うようなわけにはいかなかったようだ。度々、彼らの要求に屈しなければならなかった。

彼ら僧兵は、なにかというと、「山門の僉議《せんぎ》」と称する大討論会を開いた。集合時のスタイルは、弁慶のあの姿である。議事は多数決で結審したらしい。嗷訴に賛成なら、「モットモ、モットモ」と声をあげ、逆なら、「コノ条、謂《いわれ》ナシ」と薙刀を片手に、柄頭で地面を打ちつつ、各々が叫んだ。

源平の時代、大寺院が所有したこのやっかいな兵力は、宗門内の対立・抗争、あるいは対外的な利害衝突の場にしばしば登場しては、大きな社会問題を生みだした。

『平家物語』によると、こうした僧兵集団は、おおむね「諸国の窃盗《せっとう》・強盗・山賊・海賊等也。欲心熾盛《しじょう》にして生死不知の奴原《やつばら》」によって構成されていたという。

「院」はこうした僧兵に対抗するために武士の力を使ったが、やがてその武士が「三不如意」を上回る〝難敵〟となって、王朝国家を崩壊させてしまうこととなる。

――武士も、太刀を佩いていた。

**刀剣は主要な武器ではなかった**

「刀」と「剣」はあまりこだわられずに、日本では言葉として混交されながら用いられてきた。この背景には残念ながら、刀剣が合戦の場で一度も、主要な武器となったことがない、という史実が大きかったように思われる。

源平争乱の時代、戦《いくさ》の主力は弓馬の術であり、それにつづく武器は「矛」であった。この「矛」から、薙刀が誕生する。

意外に思われる方も多いが、薙刀は「刀」に長い柄をつけたものであり、刀剣で区分すると「刀」となる。一方、「矛」に独自の改良が重ねられて、薙刀に遅れ、鎌倉時代末期から南北朝にかけてようやく登場したのが槍であった。

もし、テレビや映画で、鎌倉幕府八代執権・北条時宗が活躍した、二度の蒙古襲来のおり、日本軍が槍を持ち出していたら、それは明らかな時代考証のミスだと指摘するべきである。室町時代に入ると、完全に「矛」は槍にとってかわられたといえる。

「矛」は刃の部分である鋒頭を三角造（断面が三角形）や両鎬《りようしのぎ》（断面が菱形）としたもの、枝として打懸の鈎《かぎ》（先が曲がった金属製・木製の器具）や塩首《しおくび》（槍の穂先の柄に接した部分）の所に逆刺を付けたものなど、種々の考案工夫が施され、実戦に使われたが、その多くはそのまま、槍の発達に寄与していくこととなる。

柄の長短によって槍の戦法は異なり、柄の下端の石突《いしづき》（地に突き立てる部分を包む金具）も、より強堅に工夫・改良された。「矛」では平底《ひらぞこ》に作って「鐓《とん》」（石突に金具をつけたもの）と称したが、槍は先尖りの鋭底に作ったものを「鐏《そん》」（石突に円錐形の金具をつけたもの）と呼んだ。原則、槍は左足を前にした左構えを取る。剣道の逆だ。

槍は石突近くを右手で握り、左手で柄をにぎって突き進み、前方の敵を突き倒す。長柄《ながえ》であっても、突き込む長さはおのずと限界があり（腕の長さを上回る柄は、突き込めない。これは日本刀の抜刀も同じ）、柄は握り留めをしっかりして、すべらぬようにしなければならなかった。

現代剣道が古流剣術を源としているならば、戦国時代の花形・槍の技法はその後、どうなったのか。そんな尊い伝承を、現代武道として受け継いでいるのが銃剣道といえる。

ただ、戦場においての槍の作法は、右足を前に右構えを取ることもあった。なぜか、そこはやはり、「斬」の日本人であった。突かないで槍をふりおろし、打ち叩くことで相手の兜を直撃、脳震盪《のうしんとう》を起こさせて、倒れたところを突き殺す戦法が、戦国時代、大いに幅を利かせていた。これは前の時代に活躍した、薙刀の技法を活用・応用したものである。

戦国時代も織田信長が登場するころには、槍は足軽戦法の中で柄が長くなる。「長柄の槍」といい、信長の三間半の槍＝約六・四メートルは、ことに有名である。彼は「槍衾《やりぶすま》」——横一列に足軽を並べ、密集隊形のまま敵陣へ突入させた。この場合の槍の扱いは、そろえた長い柄を、かけ声で一斉に振りおろし、振りあげる動作を連続しておこない、敵に飛びこまれる隙《すき》、死角を作らないようにして、突進した。

槍本来の刺突は、このさいは顧慮されることがなかった。が、槍は突くだけのもの、というのは日本史の誤解である。

**職能としての「弓馬の芸」**

誤解といえば、武士にもう一種、特殊職能者としての側面を知らない人は多い。

平安時代の「武士」は意外にも、職能でいえば管弦《かんげん》・文士・和歌・画工・舞人・異能・陰陽《おんみよう》・医方・明法《みようぼう》・明経《みようぎよう》などの、諸芸の一つとして数えられていた。

文人で中級貴族の藤原明衡《あきひら》の著した、『新猿楽記《しんさるがくき》』――さまざまな猿楽（散楽）の芸能や演技者を列記した前半と、その見物にやってきた中級貴族の右衛門尉《うえもんのじょう》一家の大集団を、一人ひとり描写した後半からなる――では、高名な博徒《ばくちうち》や細工師、相撲人《すまいびと》、飛騨工《ひだのたくみ》、医師《くすし》、陰陽師、大工、仏師、商人などと並んで、「所能《しょのう》」（充分にできる事柄）の一つに、わざわざ、「天下第一の武者」をあげていた。作中の、右衛門尉の次女「中の君《なかのきみ》」の夫である「勲藤次《くんとうじ》」は、架空の人物のようだが、注目したいのは、その彼に関する記述である。

「合戦《こうせん》・夜討《ようち》・馳射《はせひき》・待射《まちゆみ》・照射《ともし》・歩射《かちゆみ》・騎射《のりゆみ》・笠懸《かさがけ》・流鏑馬《やぶさめ》・八的《やつまと》・三々九《さんざく》・手挟《たはさみ》等の上手なり」（日本思想大系8『古代政治社会思想』岩波書店）

とあった。右の「馳射」は馬を馳せながら弓を引く技術のことであり、「騎射」の一つである。ちなみに、「騎射と云ふは歩射に対して云ふ也」（『貞丈雑記《ていじょうざつき》』）とあった。当時、武士の嗜《たしな》みとされた「笠懸」「流鏑馬」「八的」「三々九」などは、ともに的の形態を区別したものであったようだ。この「弓馬の芸」という、特殊な戦闘技術を教える「所能」をもつ武士も、一般にいわれる開拓農民とは別の、「武士」であることに間違いはなかったのである。

彼らは諸芸の師匠よろしく、京に住んでいた。地方から「大番」の役に来る武士の中には、三年の在京中に「天下第一の武者」（複数）について、弓馬術の実技を修得する者もいた。国へ帰れば、その腕前はおのずと目立つものとなっていたであろう。無論、京から地方に武芸を教えに出た者もいたに相違ない。

また、『新猿楽記』の後半、作中の右衛門尉の四女「四《よん》の御許《おもと》」の夫で、右《う》馬寮《まりよう》下役人の「金集《かなつめ》の百成《ももなり》」が登場する。彼は鍛冶・鋳物師であり、金銀細工師でもあった。百成は刀工として、一佩《ひとはき》・小刀・太刀・伏突《よこはき》（太刀に同じ）・鉾・剣・髪剃・鏃《やじり》を造り、その刃《やいば》は茅《かや》の葉に似て、寒氷《かんぴよう》のようでもあったという。

ほかの鍛冶物としては、鐙《あぶみ》・銜《くつは》（くつわ）・鎰《かぎ》・鋸《のこぎり》・鉋《かな》（かんな）・釿《ておの》（ちょうな）・鐇《たつき》（刃の幅広な斧）・鎌・斧・鋤・鍬・釘・鎹《かすがい》・錐《きり》・鑷《けぬき》・鋏の上手でもあったという。

作者は彼を評して、

「鉄《くろがね》を進退《しんだい》すること動《やや》もすれば、揚州《ようしゆう》の莫邪《ばくや》に同じ」

と述べていた。莫邪は中国の『呉越春秋』に出てくる、名工のこと。諸芸の専門職はこの頃、すでに成立していたのである。

# 第三章　日本刀の誕生

## ほんとうの源平合戦

弓馬の芸を磨いた武士たちは、結果として、腰に太刀をぶらさげて、やがて、「やあやあわれこそは——」と正々堂々と名乗り、己れの弓馬の術を披露し合い、ともに戦う——そうした源平合戦のイメージを創りあげていくのだが、史実は違った。日本刀こそ、武士の主要兵器との思い込みと同様、このイメージも大いなる錯覚でしかなかった。「院」の成立後、源平争乱以前に、すでに武士の正々堂々たる戦いのイメージは完全に崩れていた。

公地と荘園につづく、第三の墾田《こんでん》（新たに開拓した田地）——その開拓者は、自分たちが拓いた土地を守るため、京の公家や有力社寺に土地を寄進し、その功績により、現地の管理人の地位を公的に安堵されるという、実に馬鹿げた立場を選択させられた。

平安時代も末期に入ると、関東にはとくに武士の集団が増え、各々の一族郎党が蟠踞《ばんきょ》するようになり、彼らはひたすら朝廷を奉ることで競争し、きわめて卑《ひく》い官職・官位でももらえば、飛びあがらんばかりに喜んで、他の地域集団に己れの優越を誇示した。

一方で、開拓地では切り拓かれた土地が増えるにともない、境界をめぐるトラブルが多発する。生命に等しい自領たる「一所《いっしょ》」をまもるために、開拓農民＝武士たちは武力抗争をくり返すようになった。あるいは、この過程で「弓矢の芸」が地方に浸透したといえるかもしれない。「武士道」の源流となる「兵《つわもの》の道」も、こうした「一所」をめぐっての、武士の土地争いの中から生まれた。

平安末期の十二世紀前半に成立した『今昔物語集』に、「源　充《みなもとのあつる》（宛とも）、平良文《よしぶみ》、合戦せし語《ママ》」（本朝世俗部巻三）という、興味深い説話が収録されている。

東国に蟠踞する桓武平氏の一流で、平将門の叔父にあたる良文には、嵯峨源氏の流れをくむ源充という好敵手がいたようだ。二人はともに「兵の家」＝武士団を形成し、「兵の道」＝武芸を競っていたが、この二派の間に入って、双方のわる口を反対派につげ、対抗心の火に油をそそいだ郎党がいた。かくて二人は、武力抗争にいたるのだが、突然の不意討ちは許されず、日時と場所は事前に約束するのが、当時のルールであったようだ。合戦の約束の日の巳《み》の刻（午前十時ごろ）、各々が一町（約一〇九メートル）をへだてて五、六百の軍勢をひきい、前面に楯をならべて対峙した。これを「掻楯《かいだて》」という。

まず、「牒《ふだ》」（宣戦布告状。ちょう、とも）を交換する。当時のルールでは、この「牒」の使者が自陣へ帰りつく前に、弓矢をその使者に射掛《いか》けてもよいことになっていた。

したがって使者は、背後から狙われることになる。が、ここで慌てふためいて馬を走らせては嗜《たしな》みに欠けるとされ、ふり返りもせずに悠々と、自軍へ引きあげていくのが「兵」

＝勇者の証とされた。この蛮勇の雰囲気、いかにも武士の美学の原点といえそうだ。

次に両軍、楯を寄せあい矢合わせとなり、その後に合戦となるのが普通なのだが、この日は良文が充に二度目の使者を出し、次のような提案をおこなっている。

「今日の合戦は、互いの手品《てじな》を知ろうというのだから、軍勢同士が射合うのでは面白くない。二人だけで存分に走り合い、射合おうではないか」

「手品」とは手のうち、武技の腕前の意。充がこれに応じたことから、二人だけが居並ぶ楯の間から出、かけ声もろとも馬を駆けさせ、すれ違いざまに矢を射合うことになる。

二人が使用するのは、「雁股《かりまた》の矢」――矢の先の鏃《やじり》が二方向に開き、その内側に刃がついているもの――である。互いに弓を引きしぼり、馳せ違いざまに矢を放ち、走りすぎるとまた馬の首をめぐらせて、取って返し、また馬上に弓をひく。

良文の矢は、充の背中を狙ったものの、充はこれを馬から落ちるほどの低姿勢でかわしたので、矢は太刀の雨覆《あまおおい》（鞘の峰の方を覆う金具）に当った。次には良文の背中へ充が矢を放ったが、良文もこれをさけ、矢は皮帯に立つ。三度、二人は駆け合ったが、ともに相手を馬から落とすまでの致命傷をおわすことができなかった。まさに「馳射《はせゆみ》」の対決である。

二人はよほどの戦闘技術者であった、といってよい。結果、良文から充へ、

「互いの手品はわかった。ともに父祖以来の敵というわけでもないのだから……」

と、ここで合戦の終了を提案。充がこれを受けて、二人の合戦は終わった。

「昔の兵はかく有《あり》ける」とは、『今昔物語集』の結びの言葉《コメント》であった。

この説話には、「兵」が弓箭《きゆうせん》と馬術に巧みでなければならないこと、首領たるものは名誉を重んじ、豪胆でしかも勇気があり、武技に秀でて、正々堂々としていなければならないことが語られていた。そうした首領でなければ、家人が従わなかったともいえようか。

——刀剣の活躍はないが、筆者の、源平合戦のイメージはまさしくこれ、、であった。

ところが、実際はまったく違う現実になっていたのだ。

## とどめを刺した剣は？

治承四（一一八〇）年八月、打倒平家のかけ声のもと、挙兵した源頼朝に合流すべく石橋山に向かった三浦一族は、残念ながら合戦に間にあわず、引き返す途中で平家方の畠山重忠《しげただ》の軍勢と遭遇する。

三浦氏は小坪の峠に三百騎、畠山氏は稲瀬川の辺りに五百騎で対陣。この時、三浦義明《よしあき》の孫・和田義盛《よしもり》は、己れがはじめて経験する「馳弓」について、その心構えを郎党の三浦真光《さねみつ》に尋ねる場面が、『平家物語』（延慶本）に出てくる。このとき真光は、五十八歳。十九度《たび》の戦に参加した、という老兵であった。その彼のアドバイスを、現代語訳してみる。

「戦のさいは、互いに弓を手にして大戦をしようとするから、相手との間合いに注意して、内甲《うちかぶと》（顔の露出している部分）をかばい、矢の無駄打ちをなくすべく、矢数を惜しんでください。さらに矢を一つ射たら、すぐに次の矢、と敵の内甲を狙いなさい」

ここまではいい。問題は真光の、次の発言であった。

「昔は馬を射ることはしませんでしたが、最近はまず馬の太っ腹を射て、跳ね落とされた武者が徒士《かち》になったところを、馬上から襲って組みつき、最期は大刀《たち》・腰刀《こしがたな》で討ちます」

驚いた義盛は、「それはいささか卑怯な振る舞いではあるまいか」と抗弁する。だが、現実問題として、すでに源平争乱の時代にはこのような戦い方——これまでは南北朝や戦国の戦法と思い込んでいたものが、すでにおこなわれていたことが知れる。

このようにみれば、なるほど、とどめを刺したのは日本刀の完成する以前の「大刀・腰刀」といっても間違いではない、ということになる。

**酒呑童子を斬った源頼光**

「**童子《どうじ》切安綱《きりやすつな》**」（写真3－1）と呼ばれる、刃長二尺六寸六分（約八十センチ）の、国宝に指定された刀剣がある（東京国立博物館蔵）。

作者の安綱は、生没年不詳。十二世紀後期の、伯耆国《ほうきのくに》（現・鳥取県西部）の刀工という。

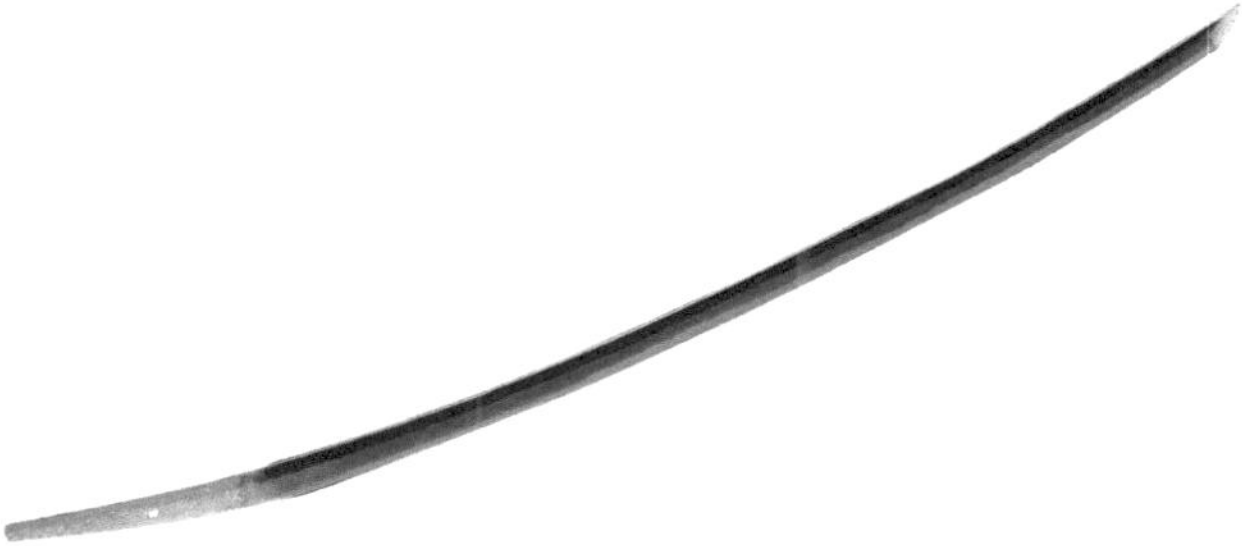

（写真 3-1）童子切安綱は「天下五剣」の一

一方で大同年間（八〇六〜八一〇）を生きたともいうから、伝説の名工・天国《あまくに》より百年ほどのちの人物ということになろうか。

〝古備前〟と称される、平安中期から鎌倉初期にかけて備前国（現・岡山県南東部）で作られた日本刀や、〝古京物〟と呼ばれる、鎌倉初期以前に京で作られた日本刀に似た作風の持ち主であり、専門書には太刀姿が優美で、沸《にえ》（刃と地肌の境に、銀砂をまいたように輝いて見えるもの）の出来が独特の小《こ》乱《みだれ》切れ刃であり、銘の文字も古雅だという。安綱の弟子・真守《さねもり》の「刀」に、「大原」と刻んだものがある。京都の大原に移り住んでいた時期も、あったのかもしれない。

一条天皇（第六十六代）の治世——京の都では貴族の姫君たちが、相次いでかどわかされる、奇怪な事件が続出した。陰陽師の安《あ》倍晴明《べのせいめい》が占ったところ、丹波国（現・京都府中部と兵庫県東部）の大江山にすむ鬼＝酒呑童子《しゅてんどうじ》の仕業だと知れる。事の重大さに一条帝は、幾人かいる武家の棟梁の一人・源頼光《よりみつ》を急ぎ呼びよせると、鬼退治を命じた。

源頼光——この典型的な平安武者は『平家物語』（巻六）に〝勢兵《せいびょう》〟として、坂上田村麻呂・藤原利仁《としひと》・平維茂《これもち》（余五《よご》将軍）・平致頼《むねより》・藤原保昌《やすまさ》・源義家の六人とともに武勇の人として数えられているが、その実力は鬼退治で示したのではなく、藤原摂関家の家司《けいし》として、淡路・伯耆・讃岐（現・香川県）・尾張（現・愛知県西部）・備前などの国司を歴任したことによってであった。頼光の流れ、すなわち摂津源氏の系統からはやがて源平争乱の火ぶたを切る源三位《さんみ》頼政《よりまさ》が出る。

国司を歴任し、多くの富を獲得した頼光は、己れの主人である藤原兼家や道長に、破格の献上品を送っており、当時の都の人々の、耳目を大いに奪ったという。

蛇足ながら、頼光の下には頼親《よりちか》、頼信《よりのぶ》の弟がいたが、この頼信が河内源氏の祖となり、八幡太郎義家につづいていく。その末が、源頼朝・義経兄弟にいたる。

話を酒呑童子に戻して、頼光は〝四天王〟と呼ばれる一騎当千の家来——渡辺綱《わたなべのつな》・坂田《さかたの》金時《きんとき》・碓井《うすいの》（平）貞光《さだみつ》・卜部《うらべの》（平）季武《すえたけ》を連れて、さっそく大江山へ。山伏に扮した一行は、酒呑童子の館を訪ねた。鬼については古来より、山賊だとも、まつろわぬ民、朝廷に従うことを潔しとしない流民、水銀などをあつかう鉱山業者など、いくつもの説があるが、酒呑童子は見境ない〝鬼〟ではなかったようで、酒宴をひらいて一行を歓待している。

酩酊した童子が寝入るのを待って、一行は鎖で童子を縛りあげ、手にしていた刀剣で「斬」――酒呑童子の首を斬り落とした。以来、そのおり用いた刀剣が「童子切安綱」と呼ばれるようになり、源氏の血を引く室町幕府の足利将軍家へ伝えられ、織田信長―豊臣秀吉―徳川家康の三英傑の手を経て、家康の死後、二代将軍秀忠の所有となった。

将軍秀忠は、四女（三女とも）勝姫が越前福井藩主・松平忠直《ただなお》（結城秀康の長男）に輿入《こしい》れするにあたり、「童子切安綱」を忠直へ贈っている。忠直は大坂夏の陣では真田信繁《のぶしげ》（俗称・幸村《ゆきむら》）を討つなど大活躍したが、戦後、領地は加増されず、そのことに不満をもった彼は乱暴狼藉を働き、やがて豊後国萩原《はぎわら》（現・大分県大分市萩原）へ流され、五十六歳でこの世を去ってしまう。人びとはこれこそ、「童子切安綱」に宿った酒呑童子の、怨念のなせるわざではなかったか、と怖気《おじけ》をふるいつつ、うわさしあったという。

### 名刀「鬚切」と鬼退治

ほかにも頼光は、『今昔物語集』（巻二十五）に拠れば、三条天皇（第六十七代）が東宮の頃、東宮御所の堂上で眠っていた狐をしとめた、との話はあるが……。

それよりも興味深いのは、「頼光朝臣郎等四天其一《らいこうあそんろうとうしてんそのいち》」と謳われた、四天王の筆頭・渡辺綱である。彼は嵯峨源氏の流れを汲み、前述の源充の子とされ、長じて源敦《あつし》の養子になって渡辺姓を称した、といわれてきた。

綱の武勇は、作者未詳の『源平盛衰記』（剣巻《つるぎのまき》）に登場している。主人頼光に使いを頼まれた「家礼《けらい》」（家来）の渡辺綱が、一条堀川にかかる戻橋《もどりばし》で、若い美しい女房（宮中に仕え、房＝部屋を与えられて住む女官）に出会う。実は彼女の正体は美女に化けた愛宕山《あたごやま》の鬼婆であり、これと渡りあい、その腕を名刀「**鬚切**《ひげきり》」（作者は不明）で切り落とした話が出てくる。難をのがれた綱ではあったが、その後、失った片腕を求めて、己れの義母に化けた鬼に、まんまと腕を取りかえされてしまう。

それが『太平記』になると、大和の宇陀郡にある森に住む妖怪「牛鬼」の退治となった。綱の活躍は、謡曲『羅生門』にもあった。彼は九条の羅生門に出没する鬼神の腕を、見事、切り落としている。見方を変えれば、綱の鬼退治は主人頼光に勝った。なぜなのか、また四天王の筆頭が綱であったのはいかなる理由からであったろう。

彼の属する渡辺党は、滝口武者《たきぐちのむしゃ》を家職としており、「鳴弦《めいげん》の儀《ぎ》」（弓に矢をつがえずに弦の引き音を鳴らし、邪気を祓う儀礼）をつかさどるなど、実は呪性＝物怪・怨霊・邪気・鬼神にかかわる特別な家系だ、と朝廷では歴代考えられていたようだ。王朝を揺るがす怪奇なものどもから生命を守る、いわゆる、「辟邪《へきじゃ》」——その武力を職能とした一族であった。「大内《おおうち》守護」（『尊卑分脈』）ともある。

加えて、淀川水系に属する摂津渡辺の地は、都の穢《けが》れを大坂湾へと流し、浄化するといった〝磁場〟にも大きくかかわっていた。

同じことは、同僚の坂田金時こと「足柄《あしがら》山の金太郎」にもいえた。〝坂東《ばんどう》〟という呼称は東海道で、足柄以東を指した。相模と駿河の境域である足柄に生まれたのが金時である。ちなみに東山道では、信濃と上野《こうずけ》の間の碓氷《うすい》峠をこえれば、〝坂東〟となった。

四天王の中に碓井貞光がいるが、この姓も偶然ではあるまい。綱の父・源充が平良文と一騎打ちをした話はすでにみたが、実は碓井貞光こと平貞道は、一方の平良文の子でもあった。綱と貞光の二人が、魔が宿るといわれた国境に関連をもち、ともに頼光の家来とされていることには、きわめて興味深いものがある。

ついでながら、金太郎の出自が具体的にふれられるのは、浄瑠璃が最初であった。近松門左衛門《ちかまつもんざえもん》の『嫗山姥《こもちやまんば》』（正徳二年）が一つの形を創ったといわれている。ただし、まだ足柄山ではなく出生地は信州であり、名前も金太郎ではなく怪童丸といっていた。

われわれが一般に思い描く、足柄山で熊とすもうをとる童髪姿の金太郎、例の鉞《まさかり》をかついでいるスタイルは、江戸中期の草双紙《くさぞうし》からであった。金太郎の顔が朱の色をしているのは、鬼の超人的能力をあらわし、鉞はすでにみた「斧」の神性、邪を払う象徴として描かれていた。源義経を守って戦った弁慶の薙刀も同じ意味合いであったろう。

筆者は金太郎と弁慶には、共通する庶民の夢が託されているように思われてならない。健康で明るく、たくましく育ち、使命をもって一生懸命に尽くす——いいかえれば、二人は歴史上の人物ではない、ともいえる。人気者ではあるが、偉人ではなかった。

名刀は逆に、その持ち主＝歴史上の人物を引き立たせるために、逸話の世界に登場した。「刀、主《ぬし》を選ぶ」である。

## 悪源太義平、「石切」で大立ち回り

藤原基経の「壺切御剣」(前述)は、壺を両断した切れ味からその名がついたが、同じように石を一刀両断した、とその斬れ味の鋭さを賞賛されたのが「**石切**《いしきり》」と呼ばれた太刀であった。その持ち主こそが、平家と並ぶ武家の棟梁・源氏——その中でも、ことのほか武名の高かった源悪源太義平《あくげんたよしひら》である。

源義朝の長男であり、頼朝の異母兄となる。その彼の愛刀が「石切」であった。

院や藤原摂関家の内紛に応じて、保元の乱(一一五六年)、平治の乱(一一五九年)と勝ち抜いた平清盛であったが、彼の好敵手であった義朝は、保元の乱では友軍であったものの、恩賞の不服から平治の乱では敵対関係となる。

このとき、鎌倉にいた義平は急ぎ京へ駆けつけ、大坂の阿倍野（現・大阪府大阪市阿倍野区）で熊野詣から戻る清盛を待ち伏せ、一気に雌雄を決しようとしたが、味方とたのんだ後白河法皇の近臣・藤原信頼《のぶより》に反対され、みすみす清盛を入京させてしまう。

清盛は信頼に名簿《みようぶ》を出して味方するそぶりをみせ、敵方を安心させて、幽閉されていた法皇と二条天皇（第七十八代）を救出。信頼・義朝追討の綸旨《りんじ》を賜わり、一気に攻勢に転ずる。都での兵力では、平家の兵力が源氏のそれに隔絶していた。

清盛の嗣子《しし》・重盛《しげもり》の軍勢五百余に対して、義平はなんと、わずか十七騎で果断にも立ち向かった。このとき、義平は十九歳。彼は重盛に一騎討ちを挑んだが、重盛はその挑発にのらず、敗れた義平はそれでも再起をはかるべく、京を脱出する。父と美濃（現・岐阜県南部）で別れた義平は、北陸へ向かったものの、そこへ父が平家によって討たれた、との悲報がもたらされる。彼は迷うことなく京へ引き返し、父の無念を晴らそうとするが、平家方の難波《なんば》経遠《つねとお》に阻まれ、ここで「石切」を抜いて大立ち回りを演じた。が、多勢に無勢。ついには捕えられ、六条河原で討たれてしまう。享年二十。

異説に拠れば、義平は北陸へ落ちのびたおり、越前大野（現・福井県大野市）で「青葉の笛」とともに、「石切」を人に託したという。笛の方は、その子孫の朝日家に伝えられたといい、福井県大野市和泉に現存するが、「石切」の行方はようとして知れない。

## 「獅子王」で鵺退治

現在、東京国立博物館所蔵の名刀に、「獅子王《ししおう》」（写真3−2）という刃長二尺五寸五分（約七十七センチ）の刀剣がある。柄も鞘も金具も、すべて漆黒に塗られ、黒塗太刀拵とされているが、もとは摂津源氏の嫡流《ちゃくりゅう》・源頼政《よりまさ》が所有した大太刀であった。百センチを超えていたという。

源頼光から数えて四代目にあたる頼政は、内裏守護の任についていたが、鵺《ぬえ》（鵼）という化物を退治して一世を風靡することになる。永治《えいじ》元（一一四一）年のことだ。わずか二歳で即位した近衛天皇（第七十六代）は、夜な夜な京洛に出没する謎の生物に脅え、ついには病床に伏してしまう。やがて、その化物の正体が鵺だとしれる。頭は猿、体はたぬき、手足は虎、尾はへび、声はとらつぐみ（スズメ目ツグミ科の鳥）に似ているという。

早速、鵺退治に赴いた頼政は、御殿の上に怪しげな黒雲が渦を巻いているのを発見。これだ、と直感した頼政は、黒雲の真ん中めがけて一の矢を放つ。すると黒雲の中から、何ものともいえぬ悲鳴のようなものが聞こえてくる。黒い渦巻は逃げようとしたが、頼政はそこへ二の矢を射ち込む。すると、なるほど猿とも、たぬきとも見える、異形の化物が黒

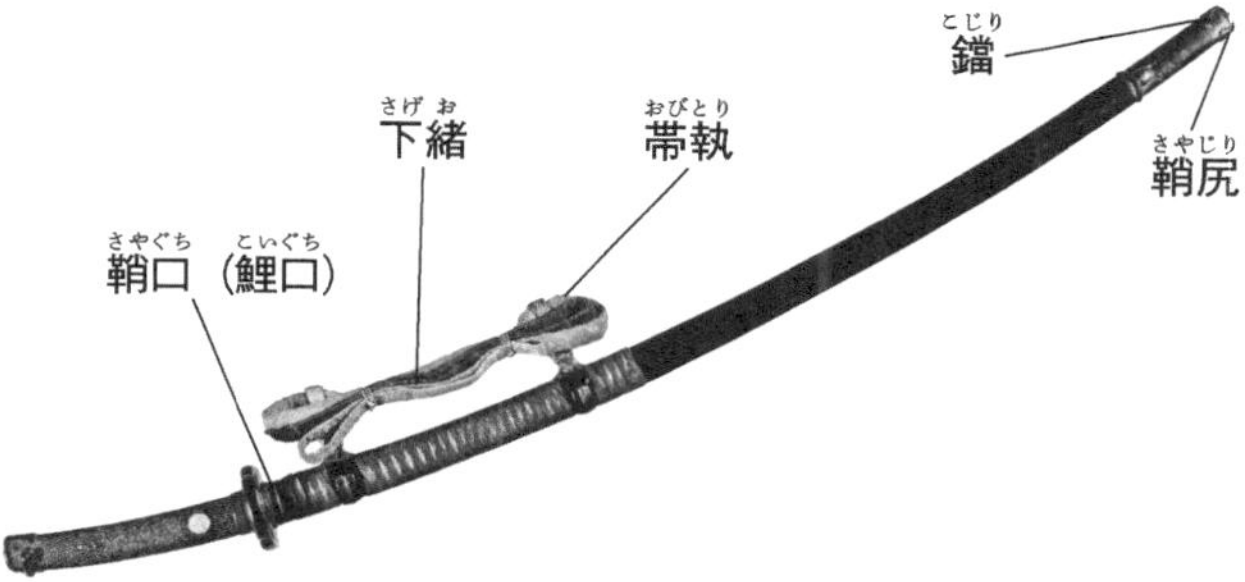


（写真 3-2）漆黒に塗り固められた「獅子王」と、鞘の各部名称

い渦巻から現われ、射ち落とされて落下した。その後、帝の病も癒えたという。

面目をほどこした頼政は、帝の父君・鳥羽上皇から褒賞を授けられる。その中に「獅子王」があった。その後ほどなく、源氏は平家との争いに敗れ、義朝の時代、衰退したが、頼政は平清盛を支持してきたこともあり、従三位の位につき、平家全盛期を見事に生き残った。

ところが治承四（一一八〇）年、後白河法皇（第七十七代天皇）の第三皇子・以仁王《もちひとおう》が、平家追討の綸旨を諸国にまき、自らも挙兵するという冒険に出た。頼政は、以仁王とそれまでとりわけ関係もなかったが、前年に清盛の嫡子・平重盛が没したこともあり、いけるかも、と老骨にむちうって参戦。五月二十六日、宇治平等院で敗死（自刃）してしまう。享年七十七。

その腰にあった「獅子王」はその後、源頼朝の清和源氏の一流・土岐《とき》氏に伝えられ、やがて明治天皇に献上される運命を辿る。

## 中国・宋の「青龍大刀」

平清盛の活躍した時代、隣国中国は南宋の時代を迎えていた。

その前の北宋も含め、宋代の武器類を絵図で紹介したものに、曾公亮《そうこうりょう》・丁度《ていたく》らの奉勅撰に拠る『武経総要《ぶけいそうよう》』(一〇四四年刊行)がある。興味深いのは、その中に八種の「刀」が描かれているのだが、うち七種は長柄の大刀であり、その中には青龍刀——ただし長い柄のついたもので、正しくは青龍大刀、あるいは偃月《えんげつ》(弓張り月)刀とも——が含まれていた。『武経総要』の図に拠れば、刃の根元に龍が装飾されており、あたかも龍が火を噴いた——その火の部分が刀身というイメージの造りとなっている。

中国で青龍刀の実物を手にしたことがあるが、かなり重く、柄も太すぎて、日本の木刀のようには握れなかった。感想としては、剣道で使う素振り用の、重い木刀と同様に鍛錬のために用いたものではないか。あるいは、見栄えをもって儀仗《ぎじょう》(儀式等に使う装飾的な武器)用に兵がもたされたのかもしれない。少なくとも、史料の上では定かではなかった。

日本では武器の主力に、薙刀が登場した時代となっていた。中国の「刀」に比べ、刃の部分が短いのが特徴といえる。中国ではそれこそ、三国志の時代から「矛」が改良されており、長柄による大刀術は以後も盛んであったが、刀身そのものが長い特徴があった。『武経総要』の、長柄の大刀の残り六種（眉尖刀《びせんとう》・鳳嘴刀《ほうしとう》・筆刀《ひっとう》・掉刀《とうとう》・曲刀《きょくとう》〔屈刀《くっとう》〕・戟刀《げきとう》）は、きわめて実戦的な造り。同時に、日本の薙刀が定着する以前の、試行錯誤した過程を連想させるものがあった。

中国では刃先の広いものを「先広」といい、細いものを「先細」といって武器を分類したようだ。先の青龍大刀は、「先広」の彎刀となった。

残る一つだけが、中国式の短柄彎刀――片手であつかう片刃のものだが、馬上用であろうか、それにしても日本刀を知る日本人がみれば、大いなる違和感を持つに違いない。

この彎刀もそうだが、常々筆者は疑問に思っていた。どうして日本には、『武経総要』に描かれた武器がまったく輸入されず、保存もされてこなかったのであろうか、と。

刀剣を骨董的価値で捉える人が多いなかで、そうしたコレクションに長柄の大刀や短柄彎刀をみかけたことがない。日本人はこれら中国の「刀」に対して、美意識をもてなかった、ということであろうか。歴史の大きな謎である。

## 日本刀の発想に逆らう義経

――源義経（一一五九～一一八九）は、鮮やかに歴史の表舞台に登場した。

元暦《げんりやく》元（寿永《じゅえい》三＝一一八四）年正月二十日のことである。この日、京都を占拠していた木曾義仲を、怯《ひる》まず、恐れず、一陣の風の如く一蹴し、後白河法皇を解放した。

「迅速こそが勝利である」

とするのが義経の兵法であり、むしろ、信仰に近いものであったといってよい。

ところが、この義経戦法は、こと戦闘に関しては、時代に逆らうものとなった。

源平争乱の時代に入ると、発達してきた日本刀に対抗すべく、鎧兜の改良開発が急ピッチに進んでいた。とりわけ騎馬戦ではぶちあたり、馬上から落下する場合も想定して、重装の鎧はさらに頑丈に作られ、これまでの華奢な日本刀では、武器としての効力が発揮できなくなる。鎧兜が改良されれば、それに応じて日本刀も変化せざるを得ない。「刀」はあくまでも、武器であった。

そこで身幅が広く重ね（刀身の厚み）が厚くなり、元身幅《もとみはば》（はばき〔鎺〕元の身幅）と先身幅（鋒《きっさき》の側の身幅）の差が、さほどない頑丈な日本刀が誕生した。

刀身は俗にいう、蛤刃《はまぐりば》（鎬から刃までの間に、蛤の貝殻のようなふくらみをもたせて研ぎ上げたもの）となる。併せて、「大鎧」への斬撃だけでは、殺傷能力があがらないため、鎧の隙間を突き込む、それにふさわしい鋒＝俗にいう「猪首《いくび》鋒」が登場した。この頑丈な小鋒は、源平合戦には大いにその改良の成果が発揮されている。

その重装備の武者に義経は、急げ急げと下知した。しかも彼は、大将でありながら常に全軍の先頭に立って武者たちを叱咤激励する。源氏は関東武者の連合軍——将たる者は、常に全軍の将兵に、己れの意志を示す必要があったのだろうが……。

義経の命令は、源氏の諸将を混乱させた。

木曾義仲に京都を追われ、西に移った平家は、幼い安徳天皇を擁して勢いを盛り返し、瀬戸内海を制圧。本営を京都から七十キロの地点・兵庫にまで進出させる。また、一ノ谷の海岸には、難攻不落の城塞も築城した。

ところが、これを攻めるべき源氏の兵数は、義経とその異母兄・源範頼の軍勢を併せても三千騎に満たない。義経が情報収集をしたところ、気の遠くなるような迂回路を経れば、一ノ谷の後方に出られることが判明する。京都を北へ出て丹波高原の奥へ進み、そこから三草越えという猟師が通る険路を経て、播州平野へ下り、そして再び山路をたって、道なき道を切り開けば、一ノ谷の後方にたどりつける、というのだ。

源氏の諸将は、この義経の奇襲戦を暴挙と決めつけた。重い鎧兜を着用して、できる強行軍ではない。しかし、義経は押しきる。

「二月七日、早朝を期して——」

と軍議は決す。

## 三条宗近の「今剣」とともに

義経は作戦決行にあたり、量より質をとった。別働隊は二百騎の少数ではあったが、弓の上手、馬の練達者が厳選された。彼は脳裏に地図を描きながら、慎重に進軍する。途中で二百騎の中から三十騎を割くと、この三十騎を自ら従えて、一ノ谷の後方・高尾山に分け入った。高尾山前面の高地が、世にいう〝鵯越《ひよどりごえ》〟である。

熊笹に覆われたこの地は、いたるところに断崖がそそり立っていて、はるか下の谷に風が鳴っていた。義経は猟師を探し出して、一ノ谷に通じるわずかなけもの道のあることを聞く。その道を鹿は通うか、と問うと、猟師は通うという。

「鹿が通うのだ。馬が通れぬことはあるまい」

が、周囲の武者は思ったに違いない。

(鹿が通っても、馬は通ってはならないのです)

と。武士はこのようなマネをするべきではない。味方の中にも反対者は多かったはずだが、聞く耳をもつ義経ではなかった。彼は自ら先頭に立つと、一気に崖を逆落《さかお》としに下った。眼下の平家軍は周章狼狽《しゅうしょうろうばい》した。予想外の死角――平家軍は大混乱となり、兵数、地の利において勝り、敗れるはずのなかった一ノ谷の合戦を落としてしまう。

つづく屋島でも、義経の発想は奇抜であった。瀬戸内海一面に浮かぶ平家船団を無視し、彼は敵の主営である、讃岐の屋島のみを注視。船を集めて嵐の中を船出して、本営を覆滅する挙に出た。義経戦法は壇ノ浦でも勝利したが、正々堂々と戦いたい重装備の源氏諸将は、ついに義経も、その戦法をも認めなかった。

――その義経の、愛刀として伝えられているのが、「今剣《いまのつるぎ》」であった。

平安時代の名工・三条宗近《むねちか》の作といわれている。宗近は〝三条小鍛冶〟の名でも知られており、平安時代の末期に京都の三条通りに居住した刀工団＝〝三条派〟の祖とされる人物。一門からは、吉家・兼永・国永・有成・近村らが出た。

「今剣」には、由来があった。

平治元（一一五九）年十二月、平治の乱において、平清盛に敗れた父・源義朝は三十八歳でこの世を去り、生まれたばかりの牛若は兄の今若（八歳）、乙若（六歳）とともに、母・常盤《ときわ》御前が清盛のもとへ名乗り出たことにより、一命を許されたものの、大蔵卿・一条長《なが》成《なり》のもとへ、常盤が再婚するに及んで、ほどなく鞍馬寺に預けられた。

ここへ宗近が参拝におとずれ、奉納したのが「今剣」であったという。

刃長六尺五分（約百八十三センチ）の大太刀であったが、いつしか六寸五分（約十九・七センチ）の短いものに仕立て直され、義経の養育にあたっていた別当の東光坊蓮忍《とうこうぼうれんにん》が、守り刀として義経に与えたのだという。

以来、「今剣」は義経とともにあり、文治五（一一八九）年閏《うるう》四月三十日、兄・頼朝の圧力に屈した奥州藤原氏の四代目・泰衡《やすひら》により、追い詰められて持仏堂に入った義経は、「今剣」を手にとると己れの生命を絶った。享年は三十一と伝えられる。

### 厳島へ奉納された備前友成

備前国の代表的刀工・友成《ともなり》——備前刀工の初祖的存在——は、山城国（現・京都府南部）の三条宗近、伯耆国の大原安綱《やすつな》と並んで、日本最古の三名匠の一人に数えられている。

平安時代後期からの作があり、古備前友成の名で知られ、太刀の名作が多い。いずれも太刀は長さが二尺六寸（約七十九センチ）前後あり、深い反り、元身幅は広くて踏張《ふんばり》（先端にいくにしたがって細くなり、腰反りで先反りが少ない刀身）があり、古雅で優美な姿だ、と諸書にある。

その友成の一刀（銘を「友成作」と三字銘にきったもの。国宝）を平家の氏神・厳島神社に奉納したのが、平能登守教経《のとのかみのりつね》だと伝えられている。

この人物は平清盛の異母弟・教盛《のりもり》の子で、天下を取って以来、軟弱とさげすまれる平家一門にあって、〝武〟をもって大いに鳴らしていた。『平家物語』では、平家随一の武将として、清盛の死後に大活躍をする。

寿永二（一一八三）年の水島の合戦では、それまで連戦連勝であった木曾義仲の軍勢を、平家方の搦手《からめて》の大将として一蹴。『平家物語』ではその後、一ノ谷の戦いで一敗したあとも奮戦をつづけ、屋島の戦いでは義経の郎党・佐藤継信《つぐのぶ》をみごとに射落している。

「能登殿の矢先に廻る者、一人も射落されずといふ事なし」（『平家物語』巻十一）

壇ノ浦で義経に後世いうところの八艘《はっそう》とび――『平家物語』の段階では、まだ一艘とびだが――を演じさせたあと、最期は華々しく、源氏の武者で大力をもって聞こえた安芸太郎・次郎の兄弟を両脇にかかえて海に飛びこんだ。

さすがは教経――といいたいところなのだが、実はこの人物、『吾妻鏡』によれば、安田遠江守義定の軍勢に、一ノ谷で討たれていた。同書の寿永三年二月七日の項に、

「但馬前司《たじまのぜんじ》経正《つねまさ》（平清盛の異母弟・経盛《つねもり》の長男）、能登守教経、備中守師盛《もろもり》（平重盛の五男）者《は》、遠江守義定が之れを獲る云々」

とあった。同月十三日の項には、教経がほかの平家の諸将九人とともに、首を京都の八条河原にさらされたという記事があり、さらに十五日には源範頼《のりより》、義経からの飛脚の報告として、同様の趣旨がくりかえされている。こちらが誤記とは、いささか考えにくい。

教経を討ったという安田義定は、すでにみた源頼光の子孫、甲斐源氏の一門。一ノ谷で

は義経の幕下《ばっか》に属していたが、戦闘集団としては自ら一大勢力を保持していた。富士川の合戦で活躍した武田信義（武田氏初代）も、その一族である。

もし、『吾妻鏡』の記述が正しいとすれば、屋島の戦いや壇ノ浦の様相はかなりちがったものとなったろう。両度の戦いは、平家の精彩を欠いたものとしたはずだ。おそらく『平家物語』の作者は、教経に平家の最後を飾る活躍をさせたかったに相違ない。

ついでながら、保元の乱から後醍醐天皇の時代までの歴史書『保暦間記《ほうりやくかんき》』（著者不詳）も、教経を壇ノ浦で戦わせているが、『保暦間記』の平家滅亡のくだりは『平家物語』の記述をそのままなぞった部分が多く、したがって傍証とはならない。だが、わずかばかりの救いは、なくもなかった。『玉葉《ぎょくよう》』である。この資料性の高い記録には、一ノ谷で戦死した教経の首は偽物であり、本物はなお生きている、と記してあった。

ただ、『平家物語』が正しいと仮定すれば、教経は元暦二（一一八五）年三月二十四日に二十六歳をもって没したことになる。

## 後鳥羽上皇の野望

鎌倉幕府を開いた源頼朝にとって、義弟となる北条義時は北条政子の実弟であった。執権として義時は、誕生間もない鎌倉幕府の安定に、全精力を注いだが、その彼の前に立ちはだかったのが、〝承久《じょうきゅう》の乱〟を挑んできた後鳥羽上皇（第八十二代天皇）であった。

この上皇は、歴代天皇の中でも稀な、文武両道を極めた帝であり、歌を詠めば藤原定家を凌ぎ、太刀をとれば大盗賊を自ら捕えてみせている。だがこの英邁《えいまい》で多芸多才な上皇は、放蕩三昧をしつくしたのち、やおら大いなる野望を胸に持つ。それが討幕であった。

承久三（一二二一）年五月十五日、ついに上皇は院宣《いんぜん》を発して、執権・北条義時追討の令を下す。上皇は直属の武力として、従来から手許に置いていた「北面の武士」に加え、新たに「西面《さいめん》の武士」を設置し、武力の増強をはかった。また、幕府に従属していない僧兵勢力をも懐柔し、結集する努力も払っている。

院の近臣・二位法印尊長《にいほういんそんちょう》を出羽・羽黒山の総長吏（事務の総理・総監）へ補任し、自らの皇子・尊快《そんかい》法親王を天台座主《ざす》として比叡山へ送り込む。さらには、三浦義村の弟である胤義《たねよし》が在京のおり、兄に朝廷方への荷担を命じたりもしている。三浦氏は三浦半島に蟠踞する豪族で、鎌倉幕府最大の御家人＝東国一といわれた大兵団をもっていた。義村は謀才にもめぐまれ、加えて坂東武者らしい大胆不敵さをあわせもつ人物でもあった。

胤義はわが胸を叩いて、「日本国ノ惣追捕使《そうついぶし》ニモ被成《なされ》ント仰候《おおせそうら》ハバ」、兄・義村はまちがいなく朝廷方に荷担すると請け合った（『承久記』）。畿内近国の武士たちは、陸続と後鳥羽上皇の命を奉じ、ときの順徳天皇（第八十四代）も上皇を助けるべく、自らも自由な立場で働くために、皇太子（のちの仲恭《ちゅうきょう》天皇＝第八十五代）へ譲位した。

後鳥羽上皇はこの対決を、天皇政権復活の最後の戦いと位置づけていたようだ。

承久三年五月十四日、後鳥羽上皇は流鏑馬《やぶさめ》汰《ぞろえ》と称して畿内近国の武士及び諸寺の僧兵を賀陽院《かやのいん》に召集した。集まった兵力は、一千七百余騎を数えた（『吾妻鏡』）。親幕派の西園寺公経《きんつね》父子は捕えられて幽閉され、召集に応じなかった京都守護・伊賀光季《みつすえ》（義時の妻の兄）は攻め殺されている。西園寺家の家司《けいし》・三善長衡《ながひら》は京を脱出して、同十九日に鎌倉へ到着。同じ日、鎌倉在住の幕府御家人への、個別の院宣をもった使者（押松《おしまつ》）も鎌倉に入ったが、こちらは捕えられた。

歴史はこのあと、義時の姉・北条政子の声涙倶《せいるいとも》にくだる御家人たちへの訓示もあり、十万余騎の主力＝東海道軍が西へ進発。東山道よりは五万余騎、北陸からは四万余騎、総兵力十九万余騎は宇治川の緒戦で勝利し、馬蹄の響きも凄まじく、そのまま入京——。

後鳥羽上皇は剃髪して隠岐《おき》へ、順徳上皇は佐渡へと配流《はいる》となり、後鳥羽上皇の兄である行助入道《ぎょうじょ》親王が院政をしき、その皇子が後堀河天皇（第八十六代）として即位した。

天皇が廃位し、上皇が配流となる、日本史上未曾有の帝に弓ひいて勝利した事件は、このような結末となった。むろん、京都方についた御家人は大半が斬首となり、幕府は畿内・西国《さいごく》の御家人を統制すべく、新たに六波羅探題を設置する。

義時は承久の乱後、執権の座に三年あった（六十二歳で死去）。

## 日本刀史上、最大の恩人

後鳥羽上皇の承久の乱は成就しなかったが、もし、この上皇が前線に立てば、あるいは戦況は一変したかもしれなかった。後鳥羽上皇は剣の腕前も上々、日本刀に関しても熟知していた。筆者は日本刀史上、最大の恩人ではないか、と思いつづけてきた。

「剣などを御覧じ知ることさへ、いかで習はせ給へるにか。道の者にもやや立ち勝りて、かしこくおはしませば、御前にてよきあしきなど定めさせ給ふ」（『増鏡』）

つまり上皇は、刀剣の目利きもできたというのだ。それもそのはずで、彼は名工をよりすぐって召し、月番を定めて作刀にあたらせ、ときには自ら焼入れをしたと伝えられる。

その鍛刀の師をつとめたのが、京粟田口《あわたぐち》の藤次郎久国《ひさくに》であり、月毎《ごと》に召された番鍛冶の中には、久国の兄・国友《くにとも》や豊後国行平《ゆきひら》があり、備前福岡一文字派の祖となる則宗《のりむね》・助宗《すけむね》など、錚々たる顔ぶれが揃っていた。右の一文字派は鎌倉時代から南北朝期にかけて、長船《おさふね》派とともに同国二大流派の一つに数えられている。作刀の銘に「一」、あるいは「一と個名」を切ることから、一文字派と呼称されるようになったという（長船派・粟田口派については詳細を後述）。

青江派も、〝古青江〟と呼ばれる日本刀には、貞次・恒次・次家と、後鳥羽院番鍛冶として聞こえた刀工が出た。この流派は、備中国子《こ》位庄《いのしょう》青江（現・岡山県倉敷市青江）に平安時代の末期に在住した刀工たちで、澄肌（刀身にあらわれる黒く澄んだ斑点）、縮緬肌《ちりめんはだ》（小《こ》板目鍛《いためぎたえ》が小文様に現われ、細かな縮緬皺を思わせる地鉄《じがね》）、逆乱刃《さかさみだれば》（乱刃の乱れ文様が鋒方向に向いているもの）、逆足《さかあし》（鋒方向に足〔乱れ文様に現われる突起〕が向いているもの）などに特徴があったようだ。

後鳥羽上皇は隠岐配所にまで鍛冶場を造り、ここへ御番鍛冶を召し出したという。上皇は普段から、刀剣に自ら接し、刀鍛冶も研師《とぎし》の仕事にも精通していたであろうが、世にいう刀剣専門の目利と称されるものは、さて、いつ頃、この世に出てきたのだろうか。

名越遠江《とおとうみ》入道崇喜という目利の大家が、鎌倉時代の末期にいたという。北条氏の流れで、鎌倉の御家人であったというから、後鳥羽上皇同様に趣味が高じてのものであったかと思われる。鎌倉幕府に集まる刀剣の、いかに切れ味がよいかを吟味したという。

同じように室町幕府になってからは、三代将軍・足利義満の時代に、宇津宮三河入道という目利がいて、刀剣書『秘談抄』（五冊）を著したと伝えられている。ただし、この『秘談抄』は現存せず、その流れを汲むという、幾つかの伝書は後世に伝えられた。

たとえば『新刊秘伝抄』（宇都宮三河入道の弟子筋にあたる竹屋《たけや》理安著・一五九一年）、『古今銘尽《ここんめいつくし》大全《たいぜん》』（全七巻五冊）などをみると、いずれも「後鳥羽院御番鍛冶」を掲げており、これによっても上皇の、日本刀史における存在感が高かったことが知れよう。

## 北条時頼の「鬼丸国綱」

蒙古の襲来を二度、迎え撃った執権・北条時宗――なるほど歴史的な英雄といえる。が、その父で五代執権をつとめた北条時頼の方が、世上の人気は高かったかもしれない。

とくに、執権職を辞したあと三ヵ年、廻国したとの伝説は夙《つと》にしられていた。

謡曲『鉢木《はちのき》』などでも有名だが、一人の旅僧が下野国《しもつけのくに》（現・栃木県）佐野辺りで大雪に見舞われた。夜の帳《とばり》もおりようとする時刻、その旅僧は一夜の宿を求めて、とある荒ら屋《あばらや》に立ち寄った。家の主《あるじ》は旅僧に暖をあたえようとして、秘蔵の鉢植――梅・桜・松の植木を炉にくべてくれる。旅僧が主の名をたずねると、もとは佐野庄の領主・佐野源左衛門常世《つねよ》としれた。聞けば、一族の陰謀で領土を奪われ、いまはこのように落ちぶれているという。しかし、と源左衛門。

「只今はご覧のように失意の中で貧苦にあえいでおりますが、鎌倉に大事があれば、ちぎれたりともこの具足を取り、錆びたりとも長刀をもち、痩せたりといえども馬に跨って、一番に馳せ参じる所存です」

〝いざ鎌倉〟の語源ともなった、覚悟のほどを語る。旅僧は一泊の礼を述べ、去っていく。やがて、源左衛門の武士としての真価が問われるときがおとずれる。痩せ馬にむちうって、見窄《みすぼ》らしい武具に身をつつみながらも、源左衛門はみごと、一番乗りを果たす。するとかつて見覚えのある旅僧が手まねきをしているではないか。旅僧は、執権の座にあった。冬の夜の礼を改めてのべた彼は、ここで正体を明かし、自分が北条時頼であることを打ち明ける。いい話である。何度聞いても、感動してしまう。しかし……。

たしかに、時頼は康元元（一二五六）年十一月、病にかかったため、執権職を一族の北条長時に譲ると、同月二十三日、鎌倉・最明寺において出家している。

この出家の後に、ひそかに諸国を遍歴して民情を視察したというのが、先の廻国行脚の伝説であったが、幕府の正史『吾妻鏡』には、時頼が三ヵ年、鎌倉を留守にしたとは記録がない。わずかに、弘長元（一二六一）年の秋から一ヵ年余り、『吾妻鏡』には時頼が登場せず、他にも、数ヵ月位ずつ何回か目に止まらぬ時期があるにはあった。が、自身が廻国したとはどうにも考えにくい。もっとも、巡検使を諸国へ派遣し、善政を心がけたことは間違いなく、それが形をかえて廻国伝説となったのかもしれない。

〝名執権〟時頼は、己れに取って代わろうとする者を、情容赦なく滅ぼす冷徹な政治家としての側面をもっていた。それだけに、より一層、〝名執権〟と呼ばれる善政を、懸命に心がけたのかもしれない。この時頼が守護刀としたのが、粟田口国綱《くにつな》の刃長二尺五寸八分

（約七十八センチ）で、反りの強い豪壮な太刀であった。

粟田口とは京都市東山区に今も残る地名で、京都に入る七口の一つ。また、三条白川橋から九条山の麓までを指し、このあたりに在住の刀工を粟田口派と称した。祖は国家《くにいえ》とされる。同様に備前国長船の一派も鎌倉に入り、この二派が中核となって〝相州物〟と呼ばれる新派が誕生した。初祖は国光とされ、彼は直刃《すぐは》（直線的な刃文《はもん》。図3－1参照）を得意とし、粟田口派の作風を色濃く残したといわれている。弟子に二代国光・国広・行光・正宗などが出た。

この〝相州物〟が誕生したのが、時頼の時世であった。彼は幕府の根拠・鎌倉に優れた刀工を集めるべく、全国から刀鍛冶を召集。なかでも左近将監《さこんしょうげん》国綱の腕前は絶品と、注文打させたのが**粟田口国綱**（別名「**鬼丸国綱**《おにまるくにつな》」）であった。

ところがしばらくの間、時頼は公務多忙で、この「刀」を顧みることがなかったようだ。すると毎夜、彼の枕元に三十センチほどの小さな鬼が現われ、その眠りをさまたげた。睡眠不足に陥った時頼が困っていると、ある夜、夢枕に一人の白髪の老人が立つ。

「それがしは粟田口国綱の化身でござる。あなたさまを悩ます小鬼を、退治してさしあげたいと思うのだが、穢《けがれ》ある者にわが身を触られたため、刀身が錆びてしまい、鞘から抜け出ることができない。願わくば、錆を拭い去られたたし」

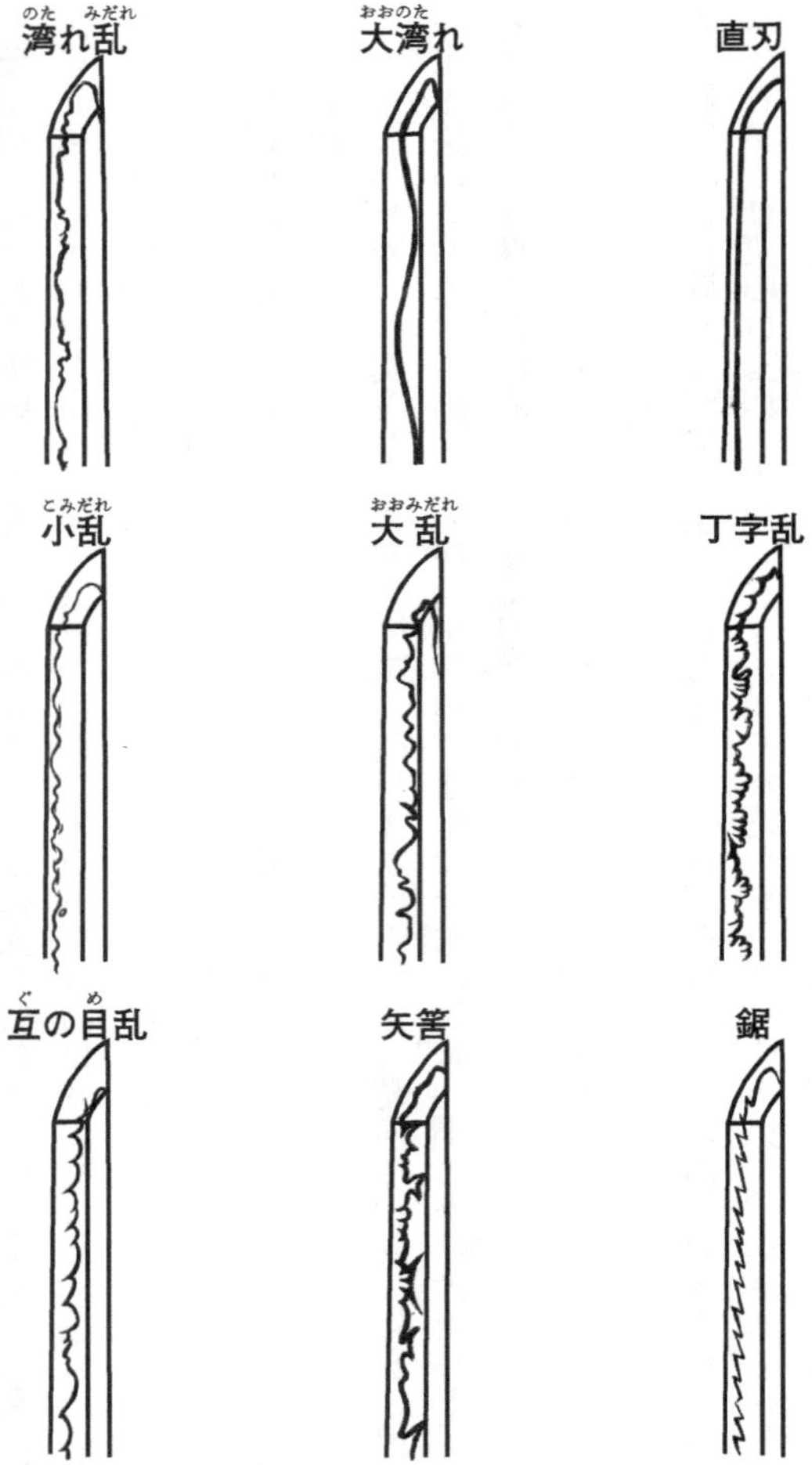


（図 3-1）流派によって刃文（刃の文様）もさまざま

翌朝、目覚めた時頼は、まさか、と思いつつも太刀を改めたところ、本当に錆がついていた。ならば、とこれを拭わせ、粟田口国綱を枕元の柱に立てかけて、その夜は眠った。するど、太刀が突然に倒れ、大きな音がする。時頼が部屋を見渡すと、火鉢が真っ二つに割られ、その脚の部分に彫られていた鬼の首が、見事切り落とされていた。

「これであったか――」

以来、小鬼は現われず、時頼はこの刀を「鬼丸国綱」と命名し、北条家の重代家宝とした。この太刀はその後、鎌倉幕府の滅亡とともに新田義貞の手にわたり、義貞戦死後には、足利将軍家に伝えられ、豊臣秀吉―徳川家康の手へ。

しかし二人の天下人は、「鬼丸国綱」のもつ霊威を恐れたのか、この刀を手元にはおかず、本阿弥家（詳しくは後述）に預け、明治維新後は明治天皇の〝御物〟へ。現在は、宮内庁に納められている。

廻国伝説を生んだ時頼にこそ、ふさわしい名刀であった、といえるかもしれない。

## 蒙古襲来と竹崎季長

文永十一（一二七四）年十月五日、「文永の役」で雲霞《うんか》のごとき元軍に、わずか五騎を従え、無謀にも突っかかったのが、肥後国（現・熊本県）の御家人・竹崎季長《たけざきすえなが》であった。

彼は己れの旗をかかげて、出陣。目的は唯一《ただひとつ》、戦功による所領の獲得（一所懸命）にあった。そのためには生命を的にし、目立たねばならない。博多に布陣する日本側の大将・少弐景資《しょうにかげすけ》は、陣営を後退させようとしたが、ひとり季長はそれを潔しとしなかった。形相凄まじく、彼は蒙古軍に突撃を敢行する。

蒙古兵は突進してくる季長ら五騎を囲み、矢を射かけ、「鉄砲《てつはう》（震天雷《しんてんらい》）」を撃ちかけた。もはやこれまでか、と思われたとき、季長と同様に恩賞を目当てに〝死地〟に飛び込んできた、肥前国（現・佐賀県と長崎県の大半）の御家人・白石通泰《みちやす》に救けられた。季長は軍功帳の一番に、その名を記録される。元軍はこうした無鉄砲な日本の荒武者に驚き、一夜にして姿を消してしまったという。一度目の、蒙古襲来の危機は去った。

郷里に一度戻った季長は、翌年の六月、中間《ちゅうげん》（雑卒《ざっそう》）二人を連れ、鎌倉を目指して出発した。前年の必死の活躍にもかかわらず、恩賞が認められなかったからである。

鎌倉に入った季長は、鶴岡八幡宮に参詣して、一心に「弓箭《きゅうせん》の祈請《きせい》」をこめると、そのまま当地に居座って、懸命に訴えつづけた。だが、取り上げてくれる奉行がいない。

十月に入って季長は、幕府最大の実力者・安達泰盛《あだちやすもり》に面会できる幸運を摑む。必死の思いで、先の戦いで「引付《ひきつけ》（戦功者名簿）」の一番になったにもかかわらず、鎌倉にそれが伝えられなかった不条理を、季長は訴えた。泰盛の先例がない、との言には、

「異国との合戦自体、先例はござらぬ」

と開き直った。これがよかったようだ。

「奇異の強者《こわもの》なり」（『蒙古襲来絵詞《えことば》』詞書《ことばがき》）

と一転して賞賛された季長は、泰盛から馬と具足をもらい、意気揚々と帰国する。

この季長は、二度目の蒙古襲来＝「弘安の役」にも参陣していた。

手疵《てきず》を負いながらも、海上戦の一番＝先駆けを果たし、冑《かぶと》を持たせていた若党と離れ離れになると、己れの脛当《すねあて》を冑がわりとなし、敵船に乗り込んで武者振りを発揮した。このおりには、船足のはやい味方の軍船を偽って停船させ、その船から敵船に乗り移るという大胆不敵な芸当まで、一度ならず二度までもやってのけている。

戦後、この季長が自らの戦功を幕府に示すため制作をしたのが、絵巻物『蒙古襲来絵詞』であった。奥書に、永仁元（一二九三）年の年紀があり、このころの作といわれている。この絵巻物のおかげで、後世のわれわれは、当時の日本軍と蒙古軍（元・高麗連合軍）の詳細を知ることができた。

## 刀工たちの試行錯誤

日本軍の武器の主力は弓であり、薙刀であり、対する蒙古軍は槍（鎗）であった。

すでに日本刀は登場しており、彎曲したものを使っていたようだ。一方の蒙古は、長柄をもって「矛」の延長改良型の槍となしたものの、佩刀には彎刀が多くなっていた。が、「先広」なものはなく、直刀、それも「環頭刀《かんとうとう》」と思われるものも、同時に描かれている。

合戦では、蒙古の集団戦法や「鉄砲」のけたたましい音に驚かされ、苦戦はしたものの、二度とも蒙古軍の上陸、進攻を海辺で食い止めた。

ただ、このおりの苦戦が、日本刀も含め、日本史における武器の過渡期――鎌倉末期から南北朝にかけて――が与えた影響については、改めて考えてみる必要がありそうだ。

とりわけ元寇《げんこう》の戦訓・反省となったのが、日本刀の鋒の破損であった。

蒙古軍の武具は皮鎧で、突いても斬りつけても鋒が欠損してしまう。もともと日本刀は、直刀の流れから入ったため、〝古備前〟に代表されるような、細身で優美な刀身であった。いいかえれば、元身幅が広く、先身幅が狭い、腰反《こしぞ》りの強い刀姿をしていた。

刀身もそれに応じて、鋒は短めになっている。刀材には柔らかな鋼（炭素量の比較的少ないもの）を用い、これを低温の鍛造（金づちで打って形作ること）で処理したことから、複雑な焼入れが可能となり、日本刀はできあがった。

ところが、すでにふれたように、源平争乱の中で、重装の鎧兜は頑丈に作られ、日本刀は蛤刃、猪首《いくび》鋒に改良された。ところがこれらが、蒙古軍の鎧には通じなかった。

鋒に欠けが生じれば、研ぎ直さねばならないが、そうすると鋩子《ぼうし》（鋒の焼刃）の部分がなくなってしまい、鎬地《しのぎじ》（鎬と峰の間の部分）に棒樋《ぼうひ》（鎬地へ太い溝を一本彫ったもの）を掻《か》く刀身は、鋒に棒樋が回り込んで、ついには「斬」ができなくなってしまう。

また、蛤刃は重装の国内鎧には有効だが、薄い皮鎧では斬り割くことができない。

ここにきて、日本刀はさらなる改良を迫られた。ことは国防に直結している。刀工たちは懸命に試行錯誤を重ね、再生可能な長い鋒を生み出し、ついに身幅を広く、重ねを薄くした、刀断面が鋭角な刀身の開発に漕ぎつけた。

が、課題はつきない。重ねを薄くすれば刀身強度、刃部の硬度は落ちてしまう。

刀工たちは鋼材の選択、造り込み、焼入れの工夫などとあわせて、鉄材料の確保（国内産の鉄鉱石系銑鉄《せんてつ》、磁鉄鉱とともに輸入を含む）に必死となった。

具体的には〝相州物〟の刀工、〝美濃物《みのもの》〟と呼ばれた美濃（現・岐阜県中南部）の刀工たちが中心になって、これらの難題に立ち向かった。〝美濃物〟で後世、名を知られたのが、東美濃の武儀《むぎ》郡の関（現・関市）であろうか。〝関派〟の始祖は元重といわれ、越前から来住したとされる。〝美濃物〟が最も技術的に影響を受けたのが、〝大和物〟であったといわれている。大和の手掻《てがい》派の鍛冶が移住して発展したという。

室町時代に入ると、関は備前・山城・相州・大和と並ぶ古刀の主要五派にあげられている。また〝美濃物〟は、新刀期（一五九六〜一七六三）に入ると、全国に刀工が流出することとなる。なお、関派の刀工は銘に「兼」の字を使うが、これは藤原鎌足の「鎌」から採ったとの伝説がある。

**関派の隆盛**

蒙古襲来により、日本刀はさらに鍛えあげられていた。

日本刀の基本は折れないこと、曲がらないことであり、斬れ味は対象物に応じて異なった。「大鎧」に合うもの、蒙古兵の鎧兜に合うもの。

したがって、刀身地肌や刃文などは、実戦第一の日本刀にとってはどうでもいいことであった。敵と戦うための「刀」に刀身地・刃の美などという想いは、あり得ない。

「刃《は》毀《こぼ》れしなければ、それでいい」

と武士は思い、将たちは全局面を見まわして武器の性能、納期の短さ、低料金を考えて刀剣を揃えた。前述の関派が隆盛を極めたのは、つまるところこれらの要望を担い、先進の備前を凌ぐだけの刀剣供給地となり得たからであろう。

刀剣鑑定家の中には、関派を数打ち物と蔑む傾向があるようだが、彼らは日本刀が武器であったことを、どうやら忘れているようだ。

関派の中でも著名なのが、初代兼定《かねさだ》のもとで修業した二代兼元《かねもと》（通称・孫六兼元）であり、二代兼定（和泉守兼定、通称は「之定《のさだ》」）であったろう。二人は、刃毀れしにくい実戦刀を造りつづけたが、作刀期間は大永三（一五二三）年から天文七（一五三八）年の間であった。

二代兼元の焼刃は所謂《いわゆる》、互《ぐ》の目《め》——丸い碁石の連続するような刃文——の尖《とが》り刃が一定の間隔で連なる「三本杉」と呼ばれ、〝関の孫六三本杉〟として世に知られた刃文である。（108ページ参照）一方の和泉守兼定の刃は、穏やかな互の目を施した、気品ある作風で知られていた。

## 楠木正成の「小龍景光」と明治天皇

南北朝といえば、楠木正成《くすのきまさしげ》という謎の多い武将が活躍した。

この人物、元弘元（元徳三・一三三一）年九月、笠置《かさぎ》（現・京都府相楽《そうらく》郡笠置町）潜幸《せんこう》の後醍醐《ごだいご》天皇（第九十六代）の召しに応じて挙兵してから、延元元（建武三、一三三六）年五月、湊川《みなとがわ》の合戦で戦死するまで、わずかに五年間しか歴史の表舞台に登場していない。

しかも正成の事績を記す史料は、文学的虚構の多いとされる『太平記』であり、ほかに『梅松論《ばいしょうろん》』『増鏡』『神皇正統記《じんのうしょうとうき》』などで、その一端がうかがえる程度でしかなかった。

無名の土豪である正成が歴史の表舞台に登場するのは、『太平記』巻三——〝南木の夢〟＝後醍醐天皇が夢にみて、招請を受ける場面からである。

もっとも、元弘二（正慶《しょうきょう》元・一三三二）年六月の、『臨川《りんせん》寺目録』によれば、元弘元年二月二十五日から同年九月の間に、正成が臨川寺領の和泉国若松荘（現・大阪府堺市）に乱入、〝押妨《おうぼう》した〟と記されている。これが正成を世に、「悪党 楠《くすのき》（楠木）兵衛尉《じょう》」として登場させることとなった。

この時代、為政者や紛争の当事者、あるいは第三者が、その敵対する者に対し、しばしば「悪党」という呼称を使ったのは、一般によく知られている。

正成について最初で、しかも、確実な記録といわれる『増鏡』は、帝の召しによって、笠置に諸国の武士が参集したことを述べ、

「事のはじめより頼み思されたりし、楠木兵衛正成という者あり」

と記している。これによれば正成は、「南木の夢」によってではなく、「事のはじめより」後醍醐天皇の、討幕計画に参加していたことになる。また、この記述に過ちがないとすれば、和泉国若松荘での押妨も、いわば、来るべき戦いに備えるため、勝手知ったる若松荘から米銭、その他を徴発したと考えられた。

後醍醐天皇は、正中《しょうちゅう》の変（鎌倉幕府の討伐のため企てた政変）に敗れたにもかかわらず、再び倒幕の断行を決意し、元弘元年八月、内裏を脱出して笠置寺に入ると、延暦寺をはじめ

とする僧兵や、非御家人層の武士団、畿内の有力土豪などを、幕府対抗兵力として募ることとなった。世にいう、元弘《げんこう》の乱の勃発である。

正成は笠置に参向したあと、九月に河内（現・大阪府南東部）赤坂城に兵を挙げたが、この城は翌十月二十一日、あえなく陥落。後醍醐帝も捕えられ、正成が護良《もりよし》親王（もりなが、とも）らとともに再挙し、畿内各地を転戦するのは、翌元弘二年十一月からであった。

十二月に入ると、正成は紀伊国（現・和歌山県全域と三重県南部）を攻撃。次に摂津（現・大阪府北西部と兵庫県南東部）へ進撃し、有名な天王寺の戦いに大勝した。彼はこのあとの二月、千早城に籠城戦を敢行。鎌倉の大軍を南河内の一隅に引きつけ、百日に及ぶ多勢に無勢の戦いをついに貫徹した。

やがて、後醍醐天皇は京にもどり、建武中興《けんむのちゅうこう》がはじまるが、功臣・足利高氏（尊氏）が後醍醐を見限り、正成は湊川でこれと戦い、敗死する。享年不詳。足利氏側に立つとされる『梅松論』ですら、正成の純粋さ、人物としての高潔さについては激賞を惜しんでいない。

正成は南北朝の激動期に、忽然と現われ、そのもてる知力、胆力、経済力を背景に、武将として天才的ともいえる能力を発揮し、この世を去った。

その彼の愛刀こそが、「**小龍景光**《こりゅうかげみつ》」（写真3－3）と伝えられる。

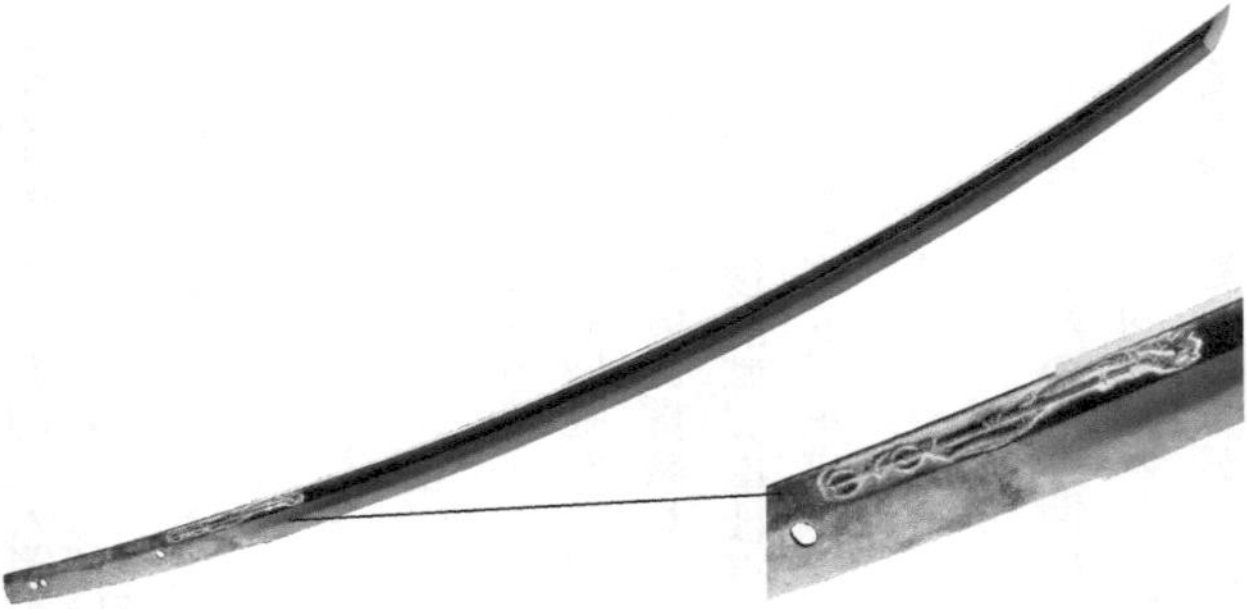

（写真 3-3）「小龍景光」に彫られた龍

備前国の刀工・長船《おさふね》景光が鍛えた一振りであり、刀身に彫られた龍の梵字文様＝倶利迦羅《くりから》に特徴があった。刃長は二尺四寸四分（約七十四センチ）だが、もとはもっと長い刀であったようだ。茎《なかご》（柄に被われる部分）が磨《す》り上げられた結果、刀身に剝き出しとなっていた龍の文様が一部、柄のなかに隠れてしまった。

それゆえ、「のぞき龍景光」――鎺《はばき》（刀身と鞘を固定する金具）から、龍が顔をのぞかせているように見える、との異名がついた。「楠公景光」とも呼ばれることになるこの名刀は、後醍醐帝から万里小路《までのこうじ》藤房《ふじふさ》を通じて、正成に下賜されたものという。

正成の死とともに、この世から消えたはずの「小龍景光」は、不思議なことにその後、江戸時代に入って河内の農家で発見される。本阿弥家からは偽物といわれたが、刀の試し斬りを生業とする山田《やまだ》浅右衛門《あさえもん》吉昌《よしまさ》の手に渡り、明治六（一八七三）年に七代・山田浅右衛門吉利《よしとし》から明治天皇へ献上された。正成由来ゆえであろう、天皇はことのほかこの「小龍景光」を気に入られ、サーベルの拵《こしらえ》に直すと、常に佩刀していたという。現在は東京国立博物館に収蔵されている。

### 足利尊氏の「骨喰藤四郎」は薙刀だった

南北朝の英雄で、室町幕府の創始者でもある足利尊氏は、元弘元（元徳三・一三三一）年九月、これまた楠木正成同様、忽然と歴史の舞台に現われた。もっともこちらは、名門中の名門の出自ではあったが。

反骨の天皇後醍醐が、鎌倉幕府の討伐を企てたものの露顕し、笠置に潜幸したとき、尊氏は幕府の差し向けた六十三将の、討手の一人として登場する。この時、尊氏は二十七歳であったが、まだ時代を担う英雄の片鱗は現われていない。

尊氏は源氏の棟梁・八幡太郎義家《よしいえ》の次男である義国《よしくに》、その子・義康《よしやす》の直系であり、鎌倉幕府の創設者・源頼朝や北条政子とも縁戚を結び、以後、執権北条氏一門とも代々、密接な血縁関係を結んできた。尊氏自身、幕府の執権で北条一族の、赤橋（北条）守時《もりとき》の妹を妻にもらい、子までなしていた。おいそれと幕府転覆に、荷担できる立場にはなかった。

この尊氏をして、奮起せしめたのは、遠祖義家の「置文」であったという。

「自分は七代後の子孫に生まれ変わって、天下を取るであろう」

これは、足利一門の今川貞世《さだよ》（号して了俊《りょうしゅん》）が著わした、『難太平記《なんたいへいき》』にのみ出てくるエピソードであり、そのままには信じ難い。が、足利家ではこれを信奉し、義家の七代後の子孫・家時《いえとき》（尊氏の祖父）は、あろうことか、ご先祖の「置文」のとおりにできなかった自らを恥じて、八幡大菩薩《だいぼさつ》にわが命を縮めるかわりに、三代ののちに今度こそ、天下を取らせたまえ、との置文を残し、切腹して果てた。

源氏は三代で滅び、その家来であった北条氏が幕府の実権を握りつづけている。主家筋の足利家にすれば、代々、北条氏の顔色をうかがいながら生きるのが、心底、悔しかったのだろう。しかし、事はあまりにも重大であった。謀叛に失敗すれば、一族郎党ことごとくが皆殺しにされてしまう。やり直しはきかない。

尊氏は、鎌倉幕府に対する全国的な武士の不平不満、時代の趨勢を的確に読んでいた。元弘三（正慶二・一三三三）年閏《うるう》二月下旬、後醍醐天皇が幽閉されていた隠岐を脱出。伯耆《ほうき》へ上陸するや、再び諸国の武士へ討幕決起の「綸旨」をばらまいた。この時、尊氏は決断する。三千余騎を従え、鎌倉へ出撃。後醍醐帝を助けて、鎌倉幕府を覆滅し、〝建武中興〟を成さしめた。天皇の諱《いみな》・尊治《たかはる》の一字を与えられたのは、この時のこと。

だが、三年後には後醍醐帝へ叛旗を翻し、尊氏はその後、京都郊外（史書には不詳だが宇治か）で楠木正成・北畠顕家《あきいえ》らに敗れ、九州へ落ち延びる。

このおり、豊後国（現・大分県の大半）守護の大友貞宗《さだむね》が、尊氏に献上した〝刀〟こそが「**骨喰藤四郎**《ほねばみとうしろう》」であった。粟田口派を代表する刀工・粟田口吉光《よしみつ》の作といわれている。吉光の通称が藤四郎のため、鍛えた刀にその名がついた。上の「骨喰」は骨をも砕くの意で、一説にこの名刀はふざけて人を斬る真似をしただけで、本当に相手の骨を砕いて死にいたらしめた、それほどの切れ味だ、と伝えられている。

数多くの人の血を吸ったようだが、尊氏にとってはこの「骨喰藤四郎」、〝捲土重来〟の縁起物となった。九州で勢いをもりかえした彼は、再び上洛し、延元元（建武三・一三三六）年五月には、湊川において楠木正成を討ち破り、ついには後醍醐天皇を廃して、光明《こうみょう》天皇（北朝第二代）を擁立。自らも征夷大将軍となって、室町幕府を開くことに成功する。

ここで興味深いのは、「骨喰藤四郎」が実は薙刀であったことだ。

尊氏は感謝の意を込め、再び大友家へこの名刀＝薙刀を下賜した。時代の要請であろう、ここで「骨喰藤四郎」は打刀に磨り上げられ、その上で改めて足利将軍家に献上されることとなる。足利家重代の家宝となった「骨喰藤四郎」だが、後述の十三代将軍・足利義輝《よしてる》の非業の最期ののち、戦国武将・松永久秀に略奪され、ときの大友家の当主・大友宗《そう》麟《りん》が三千両相当の代価を払って、この宝剣を買い戻したという。

大友家は、宗麟の次代・義統《よしむね》のおり、朝鮮出兵の不手際から改易《かいえき》となったものの、「骨喰藤四郎」は、それ以前に豊臣秀吉のもとへ渡り、その子・秀頼へ。大坂の陣で勝者となった徳川家を経て、明治に入ると豊国《とよくに》神社に奉納されたという。

## 〝菊池の千本鑓〟

すでにみてきたように、戈・戟・矛・桙・鉾・槍の字をもちいて、〝ほこ〟と呼ばれた武器が、古代・中世においては戦場で主要な役割を果たした。日本ではこれらに、総じて「保古《ほこ》」の訓《よ》みを当てている。

青銅製から鉄製にかわり、「戟」の漢字が主力とはなるが、その用途はかわらなかった。日本では平安時代中期、薙刀と並んで「戟」が活用されたが、鎌倉時代末期から騎馬戦よりも徒歩による打物《うちもの》の合戦が盛んとなり、隘路での「槍衾《やりぶすま》」が登場し、前方へむかっての突撃が多用されるようになる。

柄を円滑に加工して、折れにくく、曲がりにくい——力の均衡を保持する工夫、しごいて突き出し、柄を引いては旋回させて、突き返す——「戟」は歩兵のために、改良開発が重ねられた。やがて出現したのが、「槍」である。国字では、「鑓」を使用した。

——その過渡期を語るエピソードとして、〝**菊池《きくち》鑓《やり》**〟が世に知られている。

南北朝時代、南朝方に属した武将に、肥後国益城郡豊田庄《ましきぐんとよだ》（現・熊本県熊本市南区城南町地区）出身の菊池武光《たけみつ》（?～一三七三）がいた。菊池武時《たけとき》の子という。

南朝方の英雄といってよく、北朝方に占拠されていた菊池氏の本拠・深川《ふかがわ》城（菊之池《きくのいけ》城・菊池古《きくちこ》城とも。現・熊本県菊池市深川）を取り戻し、懐良《かねよし》親王（後醍醐天皇の皇子）を迎えて、隈部山《くまべやま》城（隈部館とも。現・熊本県山鹿《やまが》市菊鹿《きくか》町上永野《まちかみながの》）に本拠を移し、九州平定を目指した。

正平十六（康安元・一三六一）年七月には、九州のかなめ＝大宰府（現・福岡県太宰府市）を陥落せしめ、懐良親王をここに迎えて、征西府を確立している。その天王山となったのが、二年前の七月、筑後川で北朝方の少弐頼尚《しょうによりひさ》と戦った一戦であった。両者の戦いは八月六日、菊池勢の夜襲によって決着がついたが、北朝にとってこの敗戦は、よほど応えたようだ。その証左に、北朝の光厳《こうごん》天皇（北朝初代）からは、武光追討の綸旨まで出ている。

この大勝のおり、武光の子・武政《たけまさ》（一三四三～一三七四）が、片刃造の小刀を長柄の竿頭《さおがしら》に嵌《は》めて刺突に使用。これが思いのほか有効であったことから、筑後（現・福岡県南西部）の鍛冶に命じて広く造らせた。一般にはこれを称して、〝菊池の千本鑓〟という。

身は平造もあれば、鎬造もあり、古様の袋穂《ふくろほ》もあれば、延べ巾茎《きんなかご》の鋲留胴金《びょうどめどうがね》（柄の千段巻きなどの留金として嵌める金具）入りもあった。要は、この頃が薙刀から槍へと、戦場の主要武器が転換する過渡期であったのだろう。

（図3-2）右上の歩兵が鑓で攻めたてる（『拾遺古徳伝絵』より）

むろん、槍はその前にも登場している。筑後川の合戦の三十数年前、元亨《げんこう》三（一三二三）年の十一月十二日と奥書《おくがき》のある『拾遺古徳伝《しゅういことくでん》絵《ね》』（本願寺第三世・覚如《かくにょ》著『拾遺古徳伝』の絵詞）の第九巻三段には、背割りの腹巻（鎌倉時代頃に造られた、脇楯《わいだて》がなく草摺《くさずり》が細分された鎧の形式）を着た歩兵が片刃造の小刀を竿頭に嵌めた鑓を両手にもっている図が描かれていた（図3－2）。

ちなみに、刀の鍛冶と槍の鍛冶は当初、まったく別なものであった。刀工は「武士の魂」とまでいわれる刀を研ぐということで、世間ではことのほか大切にされ、保護もされた。ところが一方の槍は、遠く原始の時代から、狩猟道具として発達したものであり、鉈や鎌といったものを製造する野鍛冶と称する人々、あるいは大工道具の鍛冶屋がうけもっていた。もとより槍は鑑賞の対象になど、戦国時代後期以降でなければならなかった。武器として槍が認知され、刀鍛冶も扱うようになったのは室町時代の中途からである。

それはさておき、九州統一に一度は王手をかけた菊池武光―武政父子ではあったが、新たに派遣されてきた北朝方の九州探題・今川貞世《さだよ》によって、文中元（応安五・一三七二）年八月、大宰府を追われ、親王とともに高良山《こうらさん》へ落ちのび、ここから再起をはかろうとした矢先、翌年十一月十六日に武光が没し、それを追うようにその次の年の五月二十六日には、武政も没してしまう。南朝再興の夢は、九州でも潰えることとなる。

## 大量の日本刀が中国に輸出された

西暦一三六八年、元帝国が倒れ、紅巾軍《こうきん》（白蓮《びゃくれん》教徒を中心とした農民叛乱軍）の一兵卒から身を起した朱元璋《しゅげんしょう》によって、明が建国される。日本では正平二十三（応安元）年、室町幕府の二代将軍・足利義詮《よしあきら》の時世になっていた。

以前、『日華文化交流史』（木宮《きみや》泰彦著）を拝読して驚いたのは、新興明の時代、日本の刀が二十万振りも、明にもたらされていた、との推計であった。

また、明治期の歴史学者・後藤粛堂《しゅくどう》の『倭寇と日本刀』に拠れば、享徳二（一四五三）年から天文八（一五三九）年までの八十六年間に、約百十三万八千振りの日本刀が中国に輸出されていた、との試算もあった。

明は大量の日本刀を買い付け、日本は外国の鉄製品を欲した。すべては、日本刀の材料として——。鄭若曽《ていじゃくそう》の『籌海図編《ちゅうかいずへん》』に、倭寇の好んだものとして、「鉄鍋」「鉄錬」（茶壺《ちゃつぼ》をかける鉄具）をあげている。謝杰《しゃけつ》の『虔台倭纂《げんだいわさん》』には、「倭寇は高価な大鍋はもとより、小鍋にいたるまで、永楽銭二銭を出して手に入れようとしている」との記述があった。

こうした中古鉄に加え、シャムや福建省からも鉄を輸入していたようだ。

現代中国の文献『中国兵器史稿』（周緯著）にも、明朝中・後期（十五世紀後半〜十七世紀）の日本刀らしきものが二振り、薙刀が四本、記載されていた。その説明文には、

「以上六刀は、恐らく日本が明王室に納めたものであろう。長刀を日本では薙刀という」

との注が、ほどこされていた。

図録が不鮮明なので断定はできないが、一見して柄の部分が日本刀のイメージからは遠く、あまりに長すぎた。構えたバランスも、悪いに違いない。筆者は肩にかかげて、刃の部分を上にして、力と腰で左右の肩からふりおろしたのではないか、と推測している。

鋒部分も精巧な鎬造（本造。刃と峰との間、やや峰よりに鎬をつけたもの）にはなっていないように思われた。あるいは、この「刀」はかつて直刀が朝鮮半島から倭国へもたらされたと

き同様、明国で日本刀の扱い方を知らない刀工が、複製したものかもしれない。剣術の技法を理解せず、武器としての強さを求めた結果のようにも考えられる。

先ほど、中国伝来仕様の刀剣が、中世日本に輸入された形跡がない、不思議だ、と述べたが、今度は逆に、文明の先進国であるはずの中国に、大量の日本刀が渡っていたとのデータが出てきた。

これらは、表裏の関係にあるのかもしれない。では、その理由は何か。客観的にみれば、日本の製刀技術が明国よりも、優れていたということになりはしまいか。

日本刀は奈良時代、国内にも刀工と呼び得る鍛冶が活躍し、平安時代に武士の出現、それにつづく武士の時代によって、ついには世界に類をみない独特な製刀技術を持つにいたった。それは同時に、日本武術・武道の技法上の体系化＝武芸流派の誕生・確立がおこなわれた過程と、大いに重なっていた。

## 〝剣豪将軍〟の師・塚原卜伝が開いた鹿島新当流

室町幕府十三代将軍・足利義輝（前名・義藤《よしふじ》）は、俗に〝剣豪将軍〟の異名で世に知られていた。なるほど、凄まじく強かった。

日本史上、〝将軍〟と名のつく人々の中で、最強はこの人物であったに違いない。

当時、室町幕府の主宰者であったはずの足利将軍家は、十一年に及ぶ応仁の乱（一四六七〜一四七七）の中で、完全に有名無実化してしまっていた。
まだ〝義藤〟と名乗っていたころの流寓の将軍義輝（天文二十三〔一五五四〕年二月、義藤より改名）は、己れがすでに天下の統治者ではない、と密かに自覚していたふしがある。将軍とはいえ、衣食のための所領すら半ばを失い、住《すまい》も定まらぬありさま。日本国の兵馬の権を、一手に握る地位にありながら、日常、将軍の身辺を護る者といえば、二、三十人の幕臣だけであった。

　そのため将軍義輝は、自身の身を己れで護る必要に迫られ、具体的には当時、流行しはじめた兵法（剣術）を習得することに懸命となる。師には、当代一流と称された塚原卜《ぼく》伝《でん》、上泉《かみいずみ》伊勢守信綱《のぶつな》（「こういずみ」は誤り）などを招聘した。

　卜伝は延徳二（一四九〇）年（延徳元年説あり）、神代の剣法の聖地・常陸国の鹿島神宮の神官の出で、初名を卜部《うらべ》朝孝《ともたか》といい、塚原土佐守安幹《やすもと》の養子となって新右衛門高幹《たかもと》と称し、下総《しもうさ》の飯篠長威斎《いいざさちょういさい》に天真正伝香取神道流＝新当流（鹿島と香取を融合）を学び、鹿島に代々伝わる〝鹿島の太刀〟を工夫し、鹿島新当流を開いた。なかでも、

「一《ひとつ》の太刀」

と称され、伝えられた秘剣は、内容は極秘ながら、その呼称はつとに知られている。

卜伝の経歴について、「卜伝百首」の奥書には次のようにあった。

「十七歳にして洛陽（京都）清水寺に於て真刀仕合《じあい》（真剣勝負）をして利を得てより、五畿七道に遊び、真剣の仕合、十九ヵ度、軍《いくさ》の場を踏むこと三十七ヵ度、一度も不覚を取らず、疵《きず》一ヵ所も被らず、矢疵を被ること六ヵ所の外、一度も敵の兵具にあたることなし。凡《およそ》仕合、軍の場とも立逢ふ所の敵を討取ること一分の手にかけて二百十二人と云《い》へり。五百年来無双の英雄なりという」

野史の『関東古戦録』では、卜伝の戦場経験は九度、軍功のあったのは七度、敵の首級を挙げること二十一度となっている。いずれにせよ、戦乱が日常化していた最中に、勃興した兵法は尋常のものではあるまい。室町後期＝戦国の世も末期になると、古流剣術では兵法仕合は刃引きの刀剣や木刀を使用したが、卜伝の時代はすべて真剣を用いた。

卜伝は生涯に三度、長期の巡国修行に出ている。二十歳前後、四十歳と六十歳の前後である。将軍義輝が学んだのは、天文の末期、即ち六十歳前後の卜伝であった。

「兵法にも位というものがある」

卜伝は将軍義輝と同じく、伊勢の国司・北畠具教《とものり》や常陸国真壁《まかべ》（現・茨城県桜川市）の城主・真壁暗夜軒《あんやけん》（氏幹《うじもと》）、あるいは武田信玄の家臣・海野《うんの》能登守輝幸《てるゆき》などに兵法を授けたが、これらとは別系統の弟子群ももっていた。

のちに天流を編む斎藤伝鬼房《でんきぼう》、一羽《いっぱ》流の諸岡一羽、徳川家康の兵法指南となる松岡兵庫助則方《のりかた》などである。前者には王者の剣を、後者には必勝の剣を伝授した、という口吻《こうふん》を晩年の卜伝は洩らしている（八十三歳〔八十二歳とも〕で死去）。

卜伝とも交流のあった新陰流《しんかげりゅう》の上泉信綱も、剣術修行を殺傷技能の向上から、やがて人格形成にまで高めようと志した人物であった。信綱はいう。

「兵法は人のたすけに遣《つかう》にあらず。進退爰《ここ》に究《きわま》りて一生一度の用に立《たつ》る為なれば、さのみ世間に能《よ》くに見られたき事にあらず。たとひ仕《し》なしはやはらかに、上手と人には見らるゝとも、毛頭も心の奥に正しからざる所あらば、心の（に）とはば如何答へん。仕なしは見苦しくて、初心の様に見ゆるとも、火炎の内に飛入磐石の下に敷かれても、滅せぬ心こそ心と頼むあるじなれ」（山田次朗吉著『日本剣道史』より引用）

剣法は心を高め、人格を磨く手段でしかない、と信綱は説くのである。

将軍義輝にたいしても信綱は、「人の心を知る分別こそ、第一に存じます」と教示したとか。彼は上野国勢多《せた》郡大胡《おおご》郷上泉（現・群馬県前橋市上泉町）の土豪で、箕輪城主・長野業《なり》盛《もり》の家臣。世上では〝上野国一本槍〟と称された、歴戦の将であった。愛洲移香斎《あいすいこうさい》（ないしは二代目）に陰流、愛洲陰流の刀槍の術を学び、独自に新陰流を創始した。

永禄六（一五六三）年二月、長野氏滅亡後、信綱は武田信玄に仕えたが、許しを得て武芸修行のため諸国流浪に出発。そのおり信玄は、自らの諱「晴信」の「信」を与えて餞《はなむけ》とした。それまでの秀綱を、信綱に改めたのは、このおりのことである。

信綱の門から出た高弟（印可伝授者）は、都合七名いた。丸目蔵人佐《まるめくらんどのすけ》（長恵《ながよし》・号して徹斎）、柳生宗厳《むねよし》（石舟斎《せきしゅうさい》）、疋田《ひきた》豊五郎《ぶんごろう》、神後《じんご》伊豆（宗治《むねはる》）、松田織部助、那珂《なか》弥左衛門、奥山休賀斎である。

信綱は卜伝に比べて身の丈六尺の美丈夫で、膂力《りょりょく》衆に優れていたと伝えられている。ちなみに、将軍義輝の御覧に出場したおり、信綱の相手をつとめたのが、筆者の学んだタイ捨流の開祖でもある、丸目蔵人佐であった。

**足利義輝の最期を見届けた「三日月宗近」**

将軍義輝は、二人の〝剣聖〟に兵法を学び、のべつ木刀や袋竹刀を手に、寸刻の余暇をみつけては稽古にあけくれた。兵法にうち込んでいないと、あたかも己れが掻き消されてしまうような、強迫観念にかられていたようだ。そのおかげであろう、剣技のほどは尋常一様のものではなくなっていた。

ただ、時代はいまだ刀術そのものを認めておらず、所詮は歩卒（足軽）の技術だ、と世間はみなしていた。その歩卒の技を、将軍自らが熱心に学ばねばならないところに、前代未聞の将軍の危機が迫っていたのだが……。

永禄八（一五六五）年五月十九日未明、京洛を事実上、支配していた三好氏の家宰・松永久秀は、〝三好三人衆〟と呼ばれた重臣の三好日向守長逸《ながゆき》、同下野守政康、岩成主税《いわなりちから》（助）友通《ともみち》らを語らい、一気に将軍義輝殺害の挙に出た。

五月雨《さみだれ》の中を、鉄壁の包囲陣を敷いた二千（総数一万とも）の兵が、二条第に雪崩《なだ》れ込む。このとき、義輝の身辺には二百人ほどの人数しか控えていなかった。

乱入する三好勢にたいして、将軍義輝は、この日を最期と覚悟した。燭台を座敷に集めて酒宴を催し、細川隆是《たかよし》という者に舞をまわせ、しかるのちに悠然と辞世の歌を詠んだ。

五月雨は露か涙かほととぎす
わが名をあげよ雲の上まで

三十歳の〝剣豪将軍〟は、足利累代の名刀十数振りを畳に突き差し、迫りくる三好勢をつぎつぎと斬り倒し、刃こぼれすれば惜し気もなく捨て、新しい名刀を手にし、まるで剣鬼と化したごとく働きつづけた。このおり、大活躍したのが、〝天下五剣〟に数えられた「**三日月宗近**《みかづきむねちか》」（写真3－4）であったという。三条宗近が鍛えたこの名刀は、優秀な太刀姿

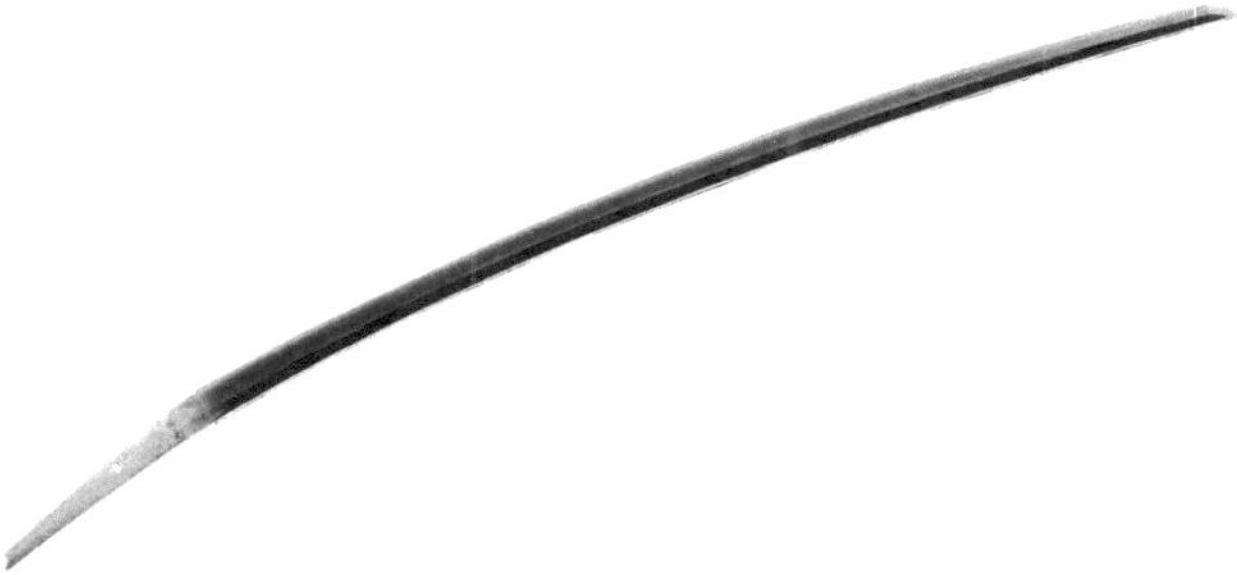

（写真 3-4）「三日月宗近」は天下五剣で最も美しいとされる

の刃文＝三日月模様をもち、刃長は二尺六寸四分（約八十センチ）。

征夷大将軍の身で、これほどの実戦、剣戟《けんげき》をおこなった者は、この義輝を措いていまい。まごうかたなく、剣名は雲の上まであがったといってよい。

将軍義輝は奮戦したが、やがて疲労したところを、背後から槍で足を払われて転倒。あるいは、鉄砲で撃たれてこときれた、とも伝えられる。ちなみに、彼が最期に手にしていたのが、すでにみた〝天下五剣〟の一《いっ》、「童子切安綱」であったといわれている。

将軍に殉じて討ち死にした近臣は、六十余人いたという。

天正十三（一五八五）年、豊臣秀吉が関白になったおり、室町幕府重代の宝剣が贈られ、これらは秀吉の正室・北政所のもとへ。彼女が寛永元（一六二四）年に亡くなると、徳川二代将軍・秀忠に奉られ、徳川家伝来の宝剣となって、後世に伝えられることになる。

## 日本刀製造技術の高さを鉄砲が証明した

将軍義輝が剣の修行に余念のなかった頃、一人の剽軽者《ひょうきんもの》の公卿が、将軍家対三好勢の市街戦を見学し、そのことを己れの日記に、克明に書きつづった。名を山科言継《やましなときつぐ》という。

天文七（一五三八）年には、参議にまで昇った雲上人であったが、この人一倍好奇心旺盛な公卿は、己れの日記（『言継卿記《ときつぐきょうき》』）の天文十九（一五五〇）年七月十四日の条に、三好勢の部将・三好弓介《きゅうすけ》（諱は長虎《ながとら》とも）の被官が、細川晴元方の足軽に鉄砲で撃たれて死亡したことを、噂として書き記していた。これこそがおそらく、鉄砲のわが国における戦死の初見であったろう。

してみると、種子島に鉄砲が伝来してからわずかに七年後、将軍・管領陣営は、最新の兵器を使用して戦っていたことになる。剣戟の響きの中で将軍義輝は、この世を去ったというのに、時代はすでに鉄砲の時代の幕開けを告げていた。

——この鉄砲の登場、少し見方を変えてみる。

日本刀の製造技術がいかにすぐれたものであったか、皮肉にも証明したのは、天文十二年に日本の種子島に伝来した、とされる鉄砲であった。この新兵器は、弓馬から薙刀—槍と進んだ武器を、一気に刀剣を飛び越えて、世間に普及してしまう。鉄砲こそは、刀工たちがそのもてる技術を駆使して挑んだ、新時代の武器開発にほかならなかった。

天正三年五月、長篠《ながしの》・設楽原《したらがはら》の戦いで、織田信長が武田勝頼の騎馬軍団を、三千挺の鉄砲をもって粉砕――戦国の戦いの歴史を、大きく転換することにつながった。だが、この鉄砲は信長が十六歳の天文十九年、すでに注目されていた。この年の二月に修築された山城中尾城（現・京都府京都市左京区浄土寺）には、三重の空堀に二重の白壁、さらにはその中に礫《れき》を詰め、明らかに鉄砲の備えがおこなわれていた（『万松院殿穴太記《ばんしょういんどのあのうき》』）。

この頃、京都ではすでに、鉄砲が実戦に使用されていたのである。なぜ、京都であったのか。『信長公記』は信長の鉄砲の師を、「橋本一巴《いっぱ》」と伝えているが、すでにみたように、京都には武芸の専門家が、平安時代から住んでいたのである。技術・指導の先進地が京都であったから、鉄砲も早くに京に出現したのであろう。

加えて、信長よりもはるかに早く、上洛をはたした阿波（現・徳島県）の三好長慶《ながよし》――梟雄《きょうゆう》・松永久秀の主人――の攻勢に、室町幕府十二代将軍・足利義晴―同十三代・義輝父子や管領の細川晴元が、対抗処置として本能寺の使僧を種子島へ派遣、鉄砲を取り寄せて、これを量産させた史実もあった。

幸い貿易都市・堺も近く、火薬の煙硝《えんしょう》も入手が可能であった。日本の刀工でなければおそらく、この外来の最新兵器を、短期日に模造し、さらにはその性能をこえる改良をおこない、世界一良質な鉄砲を産み出すことはできなかったに違いない。

鉄砲は京を中心に畿内に流布してゆき、根来寺《ねごろじ》や大坂本願寺などにも次々と採用され、これらの地から優秀な射撃手が出現した。

その生産は当初は堺がにぎっていたが、やがて刀剣と同様、刀工たちの流浪により、新たなる工業団地が各地に生まれていく。

# 第四章　日本刀の真実

## 明が入手した日本の刀術

中国の明の末期に刊行された、軍事百科全書『武備志《ぶびし》』（全二百四十巻）には、実に衝撃的なことが述べられていた。編者で本人も明の軍人であった茅元儀《ぼうげんぎ》（一五九四〜一六四〇）は、あろうことか同書において、次のような断言をなしていたのである。

自国（中国）の古伝の剣や刀の技術は既《すで》に失伝した。それ故に剣は朝鮮に残っていた勢法（形）を取る。刀術は日本人の習熟しているところであるが、倭寇が南方を侵掠《しんりゃく》した際、辛酉《しんゆう》（嘉靖四十・一五六一年）の陣上で戚継光《せきけいこう》将軍がその習法を入手した。

（長澤規矩也著『和刻本明清資料集』・汲古書院所収）

明末期、中国伝統の刀剣の技術——実戦に使えるもの——は、すでに滅んでいたという。これだけでも驚きだが、さらにまさかと思われたのが、それを補うために「剣」は朝鮮から、「刀」の技術は日本のものを入手した、と述べたくだりである。

引用文中の戚継光（一五二八〜一五八七）は、明の将軍として、倭寇退治に活躍した人物。現在の北京近郊の、〝万里の長城〟を修復したのは彼だ、とも伝えられている。

具体的に戚継光は、日本の古流の一つ、三大流儀の一《いっ》――影流（正しくは陰流）の伝書を入手していた。中条流・神道流と並ぶ陰流は、開祖・愛洲移香斎（一四五二～一五三八）にはじまり、前章の上泉伊勢守信綱をつうじて新陰流となり、柳生宗厳（石舟斎）―宗矩《むねのり》父子に伝えられ、徳川将軍家の流儀となる。正しくは、新陰流平法――この技法は現存しており、その内容・技法から、われわれは『武備志』の「影流目録」を、具体的に検証することができた。

興味深いのは、戚継光の入手した「影流目録」に、新陰流の無刀極意（一般に思い込まれている真剣白刃取り）と伝えられる、無刀取りと思われるものまでが掲載されていたことである。しかも人間ではなく、目録は猿と猿が形（型）を演じるべく相対していた。

これも愛洲家の剣が、猿を相手に修行したとの伝承があり、おそらく〝本物〟の伝書とみて差し支えないように思われる。なお、無刀取りは従来、師の上泉信綱が弟子の柳生宗厳に対して与えた公案（宿題）、と伝えられてきたが、右の戚継光が「影流目録」を入手したとされる明の嘉靖四十年は、日本でいえば永禄四（一五六一）年にあたった。

一方、信綱が公案に答えた宗厳に、新陰流の「影目録」を与えたのは永禄九年とされている。戚継光の影流伝書がもし、無刀取りを載せていたとすれば、日本の剣術はそれ以前から、無手での刀剣との戦いを想定し、それなりの答えの出せる、高次なレベルに達していたことになる。これは技法の深遠、日本刀の進化を考えれば、決してあり得ないことと はいえない。と同時に、『武備志』掲載の「影流目録」は、日本古武術史上、最も古い時代に分類できる、伝書史料といって差し支えなさそうだ。

習熟した刀術を使う日本人＝倭寇の侵攻に、頭を悩ましていた明朝では、これまでも明軍を投入しては防戦につとめたが、倭寇の刀術にはどうしても歯が立たない。斬り合いになると負けてしまい、なかなか倭寇を撃退することができなかった。そこで明軍は、その刀術を具体的に研究し、対抗策を考案した。それが戚継光だった、ということになる。

## 中国の武器を日本人が集めなかった理由

もっとも、伝書類を入手し、実際の使い手に学んで刀術は解明できても、日本刀そのものの製造方法は、ついにわからなかったようだ。

「日本刀のあの絶妙なバランスは、いかなる鍾法（金属を鍛えて仕上げる方法）を用いたものか、まったく分からない。とにかく中国には、いまだ伝わっていない技術だ」（宋応星著『天工開物』、一六三七年刊）

そのため、異国の日本刀を購入して、日本武術の技法を身につければ、倭寇と対等に戦えるし、ついには勝つことができる、との発想の転換を遂げた。

すでに、辛酉の翌年（一五六二年）に編纂された倭寇対策本では、

「倭寇は術に優れている。敵の優れているところを我がものとし、これを敵に返せば勝つことができるはずだ」（鄭若曽《ていじゃくそう》編著『籌海図編《ちゅうかいずへん》』）

とあった。自国の防衛に、他国の武器・武術を使うとは……。

戚継光は両手で一刀を操作する倭寇に対して、集団で対処する戦法をあみだした。まず先頭に、「狼筅」（笹竹の枝を取らずにそのまま用いたような防御用の長くて軽い竹の槍）をもたせて倭寇にせまる。これは全軍の楯の役割を果たした。その次に片手に円牌《えんはい》（藤牌）――藤で作った、軽くて固い楯。内側に腕通しの輪がついていて、刀の柄を握ることができた――をもたされた一軍が、もう一方の手に「標槍《ひょうそう》」（投げ槍）をもってつづく。

彼らは集団で倭寇に立ち向かい、斬り合う間合（一足一刀の間）より遠くから、「標槍」を投げつけ、連動して円牌の内側に付けた剣（腰刀・片手使用）を右手にもちかえて、白兵戦＝斬り合いに臨んだ。この戦法を戚継光は、自ら〝鴛鴦陣《えんおうじん》〟と呼んだが、日本の剣術を研究した彼は、ついに一対一では日本刀をもつ倭寇に勝てない、との結論に達し、一対多数でのぞむフォーメーションを開発した。

さらに倭寇をとらえるにあたっては、鏜鈀《とうは》（槍の穂先に刺叉《さすまた》が着いたような武器）や三つ道具などとも呼ばれた袖搦《そでがらみ》・刺叉・突棒《つくぼう》といった、それこそ日本の江戸時代、町奉行所の捕り

方が使ったような捕獲用の道具を用いて、生き残った倭寇を日本刀ごとからめとった。

これらの捕獲用の武器には、そもそも技法はいらない。とにかく、押さえつければよかった。そのためであろう、術を重視する日本武芸流派に、この〝三つ道具〟を主力とした流派は存在していない。筆者はこのことと、中国の武器を日本人がコレクションしなかった理由を、関連づけて考えている。日本人は中国の武器に、戦いの価値を見出せなかったのではないか。それはそのまま、美術品として崇める動機にもならなかった。

戚継光や兪《ゆ》大猷《たいゆう》(一五〇三〜一五七九)ら明の将軍たちが、倭寇の主力を福建の平海衛《へいかいえい》に破り、このあと明王朝も密貿易取締りの不可能をさとって、隆慶元(一五六七)年には「海禁」を解き、漳州《しょうしゅう》における貿易を再開。中国人の海外渡航を認めたことで、倭寇はほぼ終息する。世界史的にいえば、これが後期の倭寇となる。

それ以前、十四世紀後半から約七十年、壱岐・対馬・松浦地域の海賊を中心に、天草・肥後・薩摩の海賊が加わって、朝鮮半島から山東沿岸を襲い、浙江《せっこう》、福建、広東地方に出没した倭寇――これが前期であり、室町幕府の取締りもあって、一度は下火となった。

## 日本刀はなぜ両手でもつのか?

ところが、明の世宗の嘉靖年間(一五二二〜一五六六)に活動した〝後期倭寇〟=南倭

は、詳細にみるとその実、

「真倭は二、三にして、偽倭は七、八なり」（『明史』日本伝）

といわれるように、大半は中国人の海賊、密貿易者であった。

それでいて明軍が個人戦で勝てなかったのは、その二、三割程度の「真倭」＝日本人が、賊軍の先鋒、斬り込み役をつとめたからであった。

〝胡蝶陣〟といって、倭寇の首領格が扇をふるって合図をおくると、「真倭」たちがまず、刀を抜いて刃を空に向けてきらめかせ、最前列に踏み出た。彼らの姿を見ると、たちまち明の官軍はおじけづいたという。ここで筆者が注目するのが、この時、「真倭」はすでに両手で、一刀をもつ日本剣術の使い方をしていた点であった。


器、名は単刀（日本刀）。双手（両手）を以《もっ》て一刀を用いるなり。その技は倭奴の擅自《せんじ》（得意）とするところ。煅煉《たんれん》（鍛錬）して精なり堅なり。制（精）度は軽利にして、靶《つか》・鞘《さや》等の物、各々法の如し。他方の刀の並ぶべきにあらざるなり。かつ善く磨整し、光《こう》耀《よう》目を射ては、人をして心寒からしむ。その用いる法は、左右に跳躍し、奇《き》詐《さ》詭《き》秘《ひ》（いつわって、たぶらかす）、人よく測るなし。ゆえに長技も毎々、常に刀に敗る。

（程宗猷《ていそうゆう》著『単刀法選』・笠尾恭二著『中國武術史大観』より引用。一部、筆者注）

少林寺出身の武幹《ぶかん》の僧でありながら、日本の武術（倭寇直伝の刀術）を劉雲峰という武道家に学んだという程宗猷（一五六一〜？）によれば、「真倭」は腰に弩弓（大形の弓）を差しており、離れたところでは弓を使い、近づけば日本刀を用いたようだ。

弓は放物線を描くから、両手で使う日本刀で、空から降ってくる弓矢を防ぐことは難しいことではない（勿論、量にもよるが）。「盾」は必要なかった。問題は接近戦である。『単刀法選』（一六二一年刊）には、「蔵刀勢」「飛刀勢」などという、技法が連続して描かれていたが、バットを握るように両手で長刀を八双に構え、柄をもつ左手に、さらには刃を下にして小刀を握る。この場合、短刀を手裏剣のように投げた（図4−1）。

筆者はこれをみたとき、片手に握るべき刀が、なぜ両手もちになったのか、その経緯《いきさつ》にふれた思いがした。かつて刀剣の先進国であった中国大陸では、実戦用の刀剣はまず、青銅製——それも短いものから長いものへ——が作られ、やがて鉄製長剣へと進んだ。

さらには、馬上での斬撃に耐えられるようにと、鉄製の彎刀も誕生した。

一方で長柄の長大刀が、鉄製技術の発達で可能となったが、中国・朝鮮ではこれらを片手で使用しつづけた。柄は二握り分はあったから、両手で操ることも、できなくはなかったが、大陸では片手でもっぱらもちつづけた。日本の古代でも、その手法は変わらなかっ

（図 4-1）小刀を左手に隠し持ち（蔵刀勢）、それを投げて（飛刀勢）、相手をひるませた隙に斬りこむ（『単刀法選』より）

たはずだ。にもかかわらず、真倭はなぜ、両手であったのか。
剣豪・宮本武蔵は自著『五輪書』の中で、興味深いことを述べていた。

刀・脇指においては、いづれも片手にて持《もつ》道具也《なり》。太刀を両手にて持て悪き事。馬上にてあしゝ。かけはしる時あしゝ。沼、ふけ（泥沼）、石原、さかしき道（険しい道）、人ごみにあしゝ。左に弓・槍を持、其外《そのほか》いづれの道具を持ても、皆、片手にて太刀をつかふものなれば、両手にて太刀をかまゆる事、実《まこと》の道にあらず。

（『五輪書』「地之巻」）

これまでの通史の解釈は、戦国の世が去って、天下泰平となった江戸期の幕藩体制下で、剣術は剣対剣を想定して、両手でもつようになった、というものであった。
しかし、上泉伊勢守信綱が新陰流を開いたとき、『武備志』の「影流目録」においても、「真倭」が明軍を相手に戦っていたおりも、いずれも戦国時代であり、それこそ武蔵のあげた、駆け足のときであり、足場の定めにくいところであり、乱戦の最中でもあった。が、それでも日本人は、日本刀を両手にもつ技法、戦法をすでに実践していた。なぜか。
筆者はこれこそが、日本古流武道が世界に誇り得る、〝術〟、間合いの取り方に根本があった、と考えてきた。一番、わかりやすいのが、脇構えかもしれない。刃先を脇斜め後方に流すこの構えは、相対する敵にとって、きわめて間合いのはかりにくいものであった。日本刀は刃にふれれば、斬れる。もし相手が「日本刀」をふりまわしてくれれば、こちらは相手の距離をおおよそながら、はかることができた。相手が刀を動かさなければ、その遠近がわかりづらく、目測をしぼりきれない。

ところが、この間合いをはかる攻防の〝術〟が、伝書の類——たとえば、「影流目録」——だけみて実際の稽古（あるいは実戦）をしたことのないものには、おそらく理解できなかったに違いない。

塚原卜伝の『卜伝百首』の一首に、〝長短の矩《かね》〟というのがある。

勝負《かちまけ》は長き短きかはらねど　さのみ短き太刀は好みそ

この歌は通常、二人が刀剣をもって相対した場合、相手の太刀が長くて延びていても、自身は鋒が五・六寸（約十七センチ）ほど短い積もりで、充分に飛び込めば、容易に相手を制することができる、刀の短いのは心で補うつもりで仕合えばよい、と解釈されるが、筆者の受けた東軍流の口伝では、日本刀の操法によって、間合いを創ることを秘していた。

先ほど三大剣流にふれたが、三つの一・中条流（開祖は、室町幕府の評定衆・中条兵庫頭長秀）は、ことのほか短い刀を使用した。同流は名人・富田《とだ》勢源《せいげん》の出現により、富田流とも呼ばれるようになるが、勢源が美濃の国主・斎藤義龍に乞われて、神道流の梅津某と仕合した時、三尺二、三寸（約一メートル）の八角に削った木刀をもった梅津に、勢源は一尺二、三寸（約四十センチ）のわり木＝薪をもちいて、一撃で勝利している（『富田伝書』）。

東軍流はこの勢源に学んだ川崎鑰之助《かぎのすけ》を開祖として、富田流からは鐘捲自斎《かねまきじさい》が出、その弟子が巌（岩）流の佐々木小次郎であり、一刀流の祖・伊藤（東）一刀斎となる。

同じ道理を前述の武蔵は、次のように表現していた。

此《この》一流におゐて、長きにても勝《かち》、短きにても勝《かつ》。故《ゆえ》によつて、太刀の寸をさだめず。何《いずれ》にても勝事《かつこと》を得《う》る心、一流の道也

（『五輪書』「地之巻」）

鹿島神伝の直心影流の目録解には、次のようにあった。

仮令《たとえ》太刀にて長短有《ある》とも、夫《それ》を頼みて、我体の進退変化不自由なる時は、必ず長きも用に不立《たたず》、短くとも結局、長きに勝《まさ》れて用を為すもの也。

日本刀はそれを手にする人物の力量によって、無限に近い可能性を秘めていた。

## 薙刀術こそが剣術を進化させた

筆者はそうした間合いの攻防＝「手之内《てのうち》」を、日本人は薙刀術の中で早々と、身につけたのではないか、と考えてきた。

長柄を巧妙自在に振り回し、持ち手を転換させたり、手のひらを柄の上ですべらせたり、間合いは一瞬にして遠くも近くもなった。手先が器用だといわれる日本人に、薙刀は向いていたように思う。

『平家物語』（巻四）に、「くもで（蜘蛛手）・かくなは（角縄）・十文字・とばうかへり（蜻蛉返り）・水車《みずぐるま》」という名称が登場するが、筆者はこれらの名称は、日本古武術の、最も早い時期の技法名だと考えてきた。

時代は源平争乱——薙刀の全盛期である。とりわけ右の「水車」は、「風車」とともに直心影流薙刀術に存在していた。

薙刀を文字通り〝水車〟のように旋回させて、鋒《きつさき》を背後から下段に通し、思いきりよく切り上げる技法。反対に背後から上段を通って、敵を切り下げるのが「風車」であった。当初、長い柄を操るなかで身につけた〃術〃が、やがて柄、刀身ともに短くなった日本刀を用いての、技法に移っていったのではないか。柄が短くなった分、全身のあらゆる部位を効率よく、しかも連動させて動かさねば、薙刀による成果には遠く及ばないものとなる。その工夫、「手之内」がやがて、構えや斬り方にも影響を及ぼしたに違いない。

『単刀法選』に、「上弓刀勢《じょうきゅうとうせい》」という構えがある。前足先を敵に向け、後ろ足を古武道の主流＝撞木《しゅもく》（丁字形）に踏み、重心は後方にややかかっているようにもみえるが、腰でリズムをとっているようにもみえなくはない。その腰は〃一文字腰〃などと呼ばれる背筋ののびたもので、腕のひじは曲げない。ただし、力は込めない。刀は丹田《たんでん》（へその下）の位置にあり、両手で握られていた。興味深いのは刀の鋒が上を向いていることだ。

筆者はこれまでの著作でも、日本古流武術の技法——その最初は、上に飛びあがることだったと、考えてきた。次に四方への移動がつづいたように思うのだが、このとき最初の構えは、今日の剣道にみられる中段のような構えではなく、飛びやすく、屈伸のきく「上弓刀勢」のようなものではなかったろうか。腕で切るのではなく、全身の力を乗せて斬る＝「斬」ではなかったろうか。日本刀での斬り合いは、一刀必殺が原則である。

日本の武芸流派には各々、型（形）があるが、あれは見方をかえれば一刀で勝負がついていることを、第三者に悟られないように組みあげられたものでもあった。

江戸期になって登場する居合術も、柄の中の長さが知れず、立ち合ってもすぐさま抜刀しないために、相対する者にとっては距離がはかりにくい。

同様に、おそらく真倭は、日本刀を背後になびかせるように、あるいは肩にかつぐなり、脇へ構えて、自分だけの間合いを作り、明兵にはそれを悟られず、そこへ入ってきた相手を、体を廻して斬り込み、一刀両断したのであろう。

――「倭の絶技」（『単刀法選』）といわれたのは、これである。

日本刀はそもそも、三々五々、打ち合うようにはできていない。

## 柳生宗厳、一夜にして剣の奥義を伝授す

この日本刀の「斬《ざん》」（たちきる）に関連して、興味深い挿話がある。

のちに、柳生新陰流として一世を風靡する、上泉伊勢守信綱の高弟・柳生宗厳（石舟斎・一五二七〔一五二九とも〕～一六〇六）のもとに、一人の客があった。なにやら、必死の面持ちである。それもそのはずで、その客は親の敵《かたき》を求めて諸国を巡り、ようやく目指す敵にめぐりあえたのだという。しかも明日、いよいよ仇討ちを決行するというのだ。

ところが、肝心の剣術に自信が持てない。もし、返り討ちにされれば、親の恥の上塗りとなってしまう。思いあまったこの人は、人伝てに宗厳に拝謁を願い出て、懇願した。

「柳生さま、あなたさまは、刀を用いることにかけては天下に比類がありません。願わくば、敵に勝てる術を一言でご教授いただけないでしょうか」

さしもの宗厳も、この願いの筋には困ったろう。剣の奥義は一朝一夕で学び取れるものではない。しかも、仇討ちは明日に迫っていた。しかし、客の心中を考えればあわれである。このとき宗厳は、次のように返答した。

「——一つ秘法がある。これはいまだ、他人には打ち明けたことのない秘法だが、その方の志に免じて、あえて教授いたそう。よいか、刀の鋒で相手を斬ろうとする者は敗れ、鐔《つば》で相手を倒そうとする者は勝つ。明日は鐔で、相手を撃砕《げきさい》するようにこころがけなさい」

宗厳にいわれた通り、間合いをふみ込んだ昨日の客は、みごと本懐を遂げることができたという（『大和人物志』）。

日本刀を用いての斬り合いの場合、どうしても心理的距離は実際よりも遠くなってしまう。幕末の上野彰義隊戦争、明治十（一八七七）年の西南の役、ともに手先や腕、肩に小さな傷を負うものが続出した。竹刀をもちいての道場剣法と異なり、白刃はふれれば斬れる。臆してないつもりでも心は萎縮し、思い切って斬りつけたつもりでも、本人が思うほどには間合いが伸びず、近間《ちかま》にあたってしまう、ということが少なくなかった。

剣の極意を示した「道歌」の中には、

切り結ぶ身に添ふ撃《う》ちは敵《かたき》なり　つけ入りてこそ味方とぞ知れ

というのがあった。互いに斬り合う時、充分に己れの手や体が伸びず、身に添うようにコセコセとビクビク斬りかかっては、かえって自分の生命を危うくする。つまり、敵である。反対に思い切りよく充分に、相手の懐へ深くつけ入って斬り込めば、これこそ最大の味方というものだ、との意となる。

しかも日本刀は、斬りおろした刀線が円形線を描く。空間への配慮・修練も必要であった。類似の道歌は多いが、次の一首が最も有名かもしれない。

切り結ぶ太刀の下こそ地獄なれ　踏み込み見ればあとは極楽

## 間合い、拍子をずらす秘法

――少し、「道歌」を拾ってみる。

そりのなき太刀を深く嫌うべし　切る手の内のまはる故なり

短かなる太刀も持方《もちかた》構えにて　伸縮自在に長く使える

現代剣道でもよく、「一足一刀の間」という言葉がつかわれる。一歩踏み込めば相手を打突でき、一歩さがれば相手の打突を外すことのできる〝間〟のことである。古流では「水月の間」などとも称した。が、これは初心者の心しなければならない大雑把な間合いであり、ふれれば血が出て、斬られてしまう日本刀の場合は、これだけでは心もとない。

敵に我が皮を切らして肉をきり　肉を切らしてその骨を切れ

という世界である。なにしろ、「敵より遠く、我より近い」間合いを、ありとあらゆる可能性の中で創らなければならなかった。刀身のみならず、柄の持ち方、「手之裡」、遠近法の工夫で、いくらでも距離＝〝差〟を生み出すことができた。

前出の『単刀法選』は正・続編に分かれていたが、この中に「単提刀勢《たんていとうせい》」「担肩刀勢《たんけんとうせい》」（図4－2）というのがあった。ともに長刀を右片手に持ち、半身《はんみ》に構えてもう一方の左手を、突き出した。右手を下段に構えるか（単提）、肩に担ぐか（担肩）の違いはあったが、

（図4-2）「単提刀勢」（右）と「担肩刀勢」（左）はいずれも相手を誘って反撃する術（『単刀法選』より）

注記には、

「（これらは）倭奴《わど》が偽って、相手を誘う術である。が、隙だらけだとあなどって突っ込んでいくと、その術中に陥ってしまう」

という意味のことが書かれていた。

日本の古流にもこれとよく似た、右手で持った太刀を後方へ流しながら、左手を正面に突き出したり、八双ないしは脇構えで、左肩を無防備に突き出すように前に出す、半身の構えの技があるが、これらはみな、突き出し部分——無防備な箇所——を餌にして、相手が餌にかかって食いついてくると、身を瞬時に転換させて、相手の攻撃をはずすと同時に、左手で柄を握って両手で斬り込む、という高度な技が秘されていた。

日本の古流には、間合い、拍子をずらす秘法がいくらでもある。極端な例として、稀ながら左太刀技法（右左の手が逆）というのもあり得た。間合いを巧みに誤魔化す工夫、相手を錯覚させる技法は、筆者の学んだ流派の口伝にも多々存在した。なかには、心理学の応用のようなものまで。

そうした日本古武術が、明軍には最後までわからなかったようだ。その証左がすでにみた、『中国兵器史稿』に掲載された、日本刀の模造品であろう。やたらに柄の長い「刀」は〝術〟を理解できぬまま、少しでも勝つことを合理的に考えて、武器そのものを長くした試行の結果と思われる。

## 宮本武蔵の学んだ十手術

ところで、筆者は二刀流（正しくは二天一流）の宮本武蔵に注目するとき、その技法が三大源流の、いずれにも属していないことを、常々奇異に感じてきた（拙著『「宮本武蔵」という剣客』）。ある時、ふと思ったのだが、武蔵の二刀流にこそ、片手もちの剣が両手もちとなった、そのプロセスと、両手もち以外の可能性が、語られていたのではないか。

武蔵には、師と呼べる者はなかった、とされているが、例外として父・無二斎の存在があり、この父から十手術の手ほどきをうけたことは、ほぼ間違いないように思われる。

では、この十手術はどうやって生まれたのであろうか。

筆者は沖縄古流の鎌術を学んだおり、不思議に思ったことがある。日本古流の鎌術は、鎖鎌を連想するごとく、鎌そのものは片手一方にしかもたない。にもかかわらず、沖縄では両手に鎌をもった。この型は攻守を、各々の手が分担していることを語ってくれた。

日本刀も両手でもつことが定着する以前、当然のごとく片手斬りの時代はあり、このおり馬上なら空いた片手は手綱をとったであろうが、地上戦では片手は何をしていたのだろうか。古代中国では「盾」をもっていた。最初は「矛」と「盾」、次が「剣」と「戟」、そのあとが「刀」と「槍」の時代——。

三期ともに登場する矛・薙刀・槍といった長柄の武器から考えて、白兵戦、接近戦に移ってからの、長柄の武器は、両手でもたざるを得なかったであろうが、防御はもっぱら腰につけていた刀剣がその補助的な役割を果たしたと考えられる。

先に、短刀を投げる「蔵刀勢」「飛刀勢」にふれたが、この片手の剣が、ふせぐ「盾」の代わりとなったはず。進化したものの一つが、十手だと筆者は考えてきた。

あるいは、もう一刀をもつこと。これは二刀流の専売特許ではなかった。筆者の学んだタイ捨流にも、対示現《じげん》流の秘太刀としての、二刀を用いる技法があった。免許をいただいたおり、筆者は師の山北先生から教授いただいた。

考えてみれば江戸時代、武士が腰に差した「大小」こそが、攻守をあらわしていたことになる。本来、戦場では鉄砲玉も弓矢も飛んできたが、江戸の幕藩体制では飛び道具の持ち運びは厳重に禁止され、槍もついにはもって旅することができなくなった。日本刀ですらが、いつしか寸法を定められるようになる。二尺三寸（約七十センチ）と規定された。

結果、日本刀は対日本刀のことだけを考えればよくなり、しかも想定する敵は一人となった。わが家の東軍流には一対多数の仕合の場合、倒すべき順番や日本刀の振り方についての伝書があったが、太平の時代となると、ついには他流試合すらが自粛させられるようになり、武術の可能性はますますせばめられることとなった。

この江戸時代に、刀剣鑑定が大流行するのだが、これも世相を反映したものといえる。

## 合戦に刀剣を何本持参したか

そもそも、「大小」＝二刀を腰に差すこと自体が、江戸時代に入ってからの光景であった。それ以前においては、大いなる幻想、勘違いでしかない。

なにしろ、乱世＝合戦の世の中である。敵も味方も、鎧兜を着用していた。

そんな相手に、気も動転して斬りかかれば、一振りの日本刀は刀身も外装も損傷し、「斬」という本来の目的を達成できなくなってしまう。武術の技法はもっぱら、鎧兜の隙間を突き、斬るものであった。

相手の眼鼻のあたりを突き刺すか、籠手《こて》の裏側の手首を切るか、脇の下や草摺《くさずり》（甲冑の胴の裾に垂れ、下半身を防御する部分）の間、佩楯《はいだて》（膝鎧《ひざよろい》）と脛当《すねあて》の間（ひざの少し上部）、足の甲など、とにかく防御されていない隙間を狙った。

しかし、余程武術の修練を積んでいないと、そうした隙間を的確には狙えない。とくに白兵戦や乱戦ともなれば、すでに刃毀《はこぼ》れした太刀しか手にしていない場合が、少なくなかった。かといって、戦場で損傷した刀身をいそぎ、修復できるわけもない。即座に間に合わなければ、こちらの生命があぶなかった。

ならば、ということで、史実の戦場には複数の刀を一人で携帯することが常識となる。二本差しは、江戸時代の武士であり、戦場では「大刀」（長大な刀）ならば、二、三振り。これを腰帯に差したり、背に担いだ。「大刀」を背に担ぐ場合は、柄が左肩上に出るように担がねばならない。これだけでも、かなりの重さになる。

ほかに戦場で敵と組み合ったおり、相手の首を掻き切る「鎧通《よろいどお》し」も必要となった。「右手指《めてざし》」とも呼ぶ。この「右手指」とは、敵を組み敷いたときに右腰から短刀を抜く方が使い勝手がよいことから、拵《こしらえ》が工夫されたもの。

古流の流派には、二刀流ならぬ「三刀流」というのも存在している。

合戦記録を読んでいると、刃渡り六尺の「野太刀」や「斬馬刀」を、わざわざ家来にかつがせて、戦場を往来した豪勇の武士もいた。

鎧兜に対して、「刀剣」を用いて斬りつければ、せっかくの刀が曲がってしまう。複数の刀剣が、ことごとく刃毀れしたらどうするか。相手を倒すためには、兜の上から殴り倒して、気絶するまでめった打ちするしかなかった。

殺傷性を求めるなら、美しい日本刀の真逆——蛤《はまぐりば》刃を持参し、刃毀れしたら、砥石や盛り砂で研ぐしかなかった。そうすれば、それなりにざっくりと斬れたはずだ。そのためであろう、戦場では具足や鎖帷子《くさりかたびら》のことを〝固物《かたもの》〟といったが、日本刀もなにより固物がよい、とされた。

## 刀剣の殺傷率は一割にも満たなかった

くり返すようで恐縮だが、日本人が大切にしてきた日本刀は、実のところ合戦で主力の武器となったことは、史上、一度もなかった。

鎧兜を身にまとった武者（武士）に対する殺傷性で、一番高いものは弓の矢である。

源平合戦の時代から、鉄砲が登場するまでの合戦で、内容が明らかな史料を筆者が漁ったかぎり、殺傷の六割を誇っていた。ついで薙刀（のちの槍）が二割程度。残念ながら刀剣は、それにつづく三位でもなかった。薙刀・槍についで殺傷性の高かったのは、意外にも投石や礫《つぶて》であり、これらが一割強あったのに比べ、刀剣は実質、一割にも満たなかった。

一般の人々の、日本刀に対する絶大なイメージは、最後に首を取るとき、切腹するときに用いたことが、印象に残っているからかもしれない。あるいは、時代劇の影響かも。

映画やテレビでは、馬上の甲冑武者が槍を小脇に、あるいは日本刀を片手に戦うシーンが出てくるが、そもそも馬上で使うのは概ね弓矢であり、長槍は馬上では安定性をかき、柄を下から握られてしまえば、手放すか、落馬するしかなかった。

戦いは徒《かち》でおこない、騎馬武者は下馬してから戦っている。馬上で槍をふるうのは、戦局が勝利に決して、敵兵が逃げはじめたとき、馬で追いながら背後より槍を突き刺すということは考えられたが、それでも鎧兜の重量を考えれば、馬の速度は時速四キロ程度でしかなかった。したがって、颯爽《さっそう》と騎馬武者が出陣するというのも、実際にはポイントのしぼられた短い距離でしかなかったといえる。

出陣式、合戦直前だけで、イメージとしては史実の大名行列に似ていた。

「下に――ッ、下に――ッ」

と、悠長に行列を組んで参勤する大名など、江戸時代、どこにもいなかった。

城下を出発するとき、江戸に入るとき――これらはそれなりの体裁をつくろったが、途中は数人ずつグループにわかれ、次の集合場所を確認しながら、三々五々道を急いだ。殿の駕籠《かご》には、数人の供回りのみ。彼らも往復ともに、道を急いでいる。

考えてみるとよいが、鎧兜は重かった。これを装着して長時間、行軍するのは大変なことで、合戦前ならばそれだけで疲れきってしまう。武士は狙われやすい急所の一つ、顔面を保護するために「頬当《ほおあて》」（面頰《めんぼう》）を着けるのが常識であったが、映画やテレビでは役者の顔がみえなくなるからであろう、およそつけたのをみたことがない。そんな危ないことをする武士は、実際にはいなかったろう。喉を保護する「喉輪」、「脛当」をつけていながら、より重大な「佩楯」（膝鎧）は映像ではみかけない。狙われるのはそうした武具の継目であったにもかかわらず、まともな鎧甲冑がテレビや映画では登場しなかった。

それゆえだろう、合戦も創られた世界に陥り、史実と大きくかけはなれてしまった。

日本刀の美しさを云々する以前の問題として、その実用性をもう少し、思いやるべきではあるまいか。

## 越前朝倉家重代の名物「籠手切正宗」

室町時代、越前（現・福井県北部）一国を領有し、日本海貿易でも巨万の富を得ていた大名家に、朝倉氏があった。本拠地を一乗谷《いちじょうだに》（現・福井県福井市）に移した孝景《たかかげ》（前名・敏景《としかげ》）は、まだ守護代の地位ではあったが、事実上の国守であり、その彼から数えて五代目が、織田信長に滅ぼされた戦国大名・朝倉義景《よしかげ》となる。

義景にかわって弁明するならば、朝倉氏の栄枯盛衰はことごとく、孝景の代に、あまりにも見事な備えをしてしまったために、代々、それを墨守するだけで、結果として潑溂《はつらつ》さ、革新性を失わせたがゆえに、義景を死滅させたといえなくもなかった。

「下剋上」の乱世をさきがけた孝景が、子の氏景《うじかげ》に残したとされる家訓「朝倉孝景条々」(「朝倉敏景十七箇条」とも「朝倉英林壁書」とも)には、宿老を実力・才能・性格で選ぶことが、すでに述べられていた。門地、出自が最大の拠り所とされる頃に、である。

本書に関連していえば、次の一項がまことに興味深い。

一、名作の刀、(中略)さのみ好まれまじく候《そうろう》。その故は、万疋の太刀を持たせたるとも、百疋の鑓《やり》百挺には勝るまじく候。百疋の鑓百挺求め、百人に持たせ候はば、一方は禦《ふせ》ぐべきこと。

すでに世の中を戦国とみてとった孝景は、戦場《いくさば》での大量の鑓の備蓄に心がけていた。

もっとも、質素倹約はうたっても、朝倉家は財力そのものにはめぐまれており、〝名物〟と呼ばれた幾振りかの日本刀は保持していた。

もともと、この〝名物〟は茶道具に使われた「すぐれた器」の意。それがいつしか、日本刀にも使用されるようになった。その〝名物〟の一つが「**籠手切正宗**《こてぎりまさむね》」である。敵兵の籠手をつけた武具の上から、腕をスッパリと切り落としたところから、この名がついたという。身幅が広く、鋒が大きくて、樋《ひ》の彫り方もまさに南北朝の代表的作風を思わせた。

持ち主には、孝景のあとの氏景、その弟の教景《のりかげ》（号して宗滴《そうてき》）とする説もあるが、筆者が持ち主であってほしい、と願うのは、七十九歳の老骨に鞭《むち》って活躍した教景である。

この人物は朝倉氏の合戦の采配を、兄・氏景の代からまかされ、その後、貞景《さだかげ》―孝景―義景と、与《あずか》りつづけた。朝倉家を滅亡させる義景も、二十三歳まで＝教景が健在なうちは、何もしないでも朝倉家は盤石であった。その常勝の将・教景が、決めつけていう。

「武者《いくさ》は犬ともいへ、畜生ともいへ、勝《かつ》事が本《ほん》にて候事《そうろうごと》」（『朝倉宗滴話記《わき》』第十条）

だが、彼ならば先述の父・孝景の教えを、無視したりはしまい。おそらく「籠手切正宗」の持ち主は、氏景かもう一人の孝景――すなわち、義景の父であったろう。

後世の伝承では、東寺南大門の戦で氏景が、この名刀を使って臂鎧《ひじよろい》とともに、敵兵の腕を斬り落とした、とされてはいるが……。

孝景や教景の努力もむなしく、天正元（一五七三）年八月二十日、義景はあわれにも四十一歳の生涯を閉じた。朝倉氏は滅亡し、戦利品の「籠手切正宗」は信長の手に帰する。

信長は使いやすいように磨り上げ（刀身の長さを詰めるため茎の先の方から切ること）をほどこし、天正三年十二月にこの名刀を近臣の大津伝十郎に下賜した。

このことは、切付銘《きりつけめい》に明らかであった。その後、さらに大津本人の腕の長さに調整したのであろう。もう少し、磨り上げられたようだ。〝籠手切正宗〟は江戸時代に、加賀百万石へ。明治になって、明治天皇へ献上された。

## 上杉謙信の名刀「竹俣兼光」

戦国時代、忽然と越後国（現・新潟県）に現われた上杉謙信は、三つの点でほかの戦国大名たちと異なっていた。

第一に、心底、神仏を敬う敬虔な姿勢の持ち主であり、第二には領土欲、権勢欲といったものをもたなかったこと。第三に、朝廷、室町幕府への思慕が強かった点である。

これらは皆、〝下剋上〟の時勢に逆行する要素ともいえたが、謙信が他の大名とかけ離れた存在でありえたのは、七歳で仏門に入ったという、武将としては例外的な前歴にも、大いに関係があったように思われる。

もっとも、毘沙門の再来をもって任ずる謙信の手元には、当然のごとく、名刀といわれる幾振りもの刀剣が存在した。彼は六尺（約百八十二センチ）近い身長があったため、好むものには長い太刀が多かった。なかでも、世に喧伝された一振りをあげろ、といわれれば「竹俣兼光《たけのまたかねみつ》」であったろう。刃長二尺九寸（約八十八センチ）、腰に三鈷柄剣《さんこづか》（34ページ参照）と梵字が彫刻されていたという。

備前国長船村《おさふね》（現・岡山県瀬戸内市長船町長船）で名を馳せた名工・長船兼光は、鎌倉末期から南北朝時代にかけて、世に知られた刀工であり、従来、二代説が考えられてきた。初代を大兼光《おおかねみつ》といい、景光《かげみつ》の子で互の目《ぐめ》（刃文《はもん》が規則正しい波紋をなしているもの）、片落互《かたおち》の目（のこぎりの歯のように片側が欠け落ちた形の刃文）、直刃《すぐは》等を焼いて、その作風としていた（刃文は108ページ参照）。

ところが、文和・延文年間（一三五二〜一三六一）の頃から、湾《のた》れ（波がゆったりとうねるような形の刃文）を主調とした身幅の広い、鋒の延びた、いわゆる〝相州伝《そうしゅうでん》〟の作が多く見受けられるようになり、これを俗に〝延文兼光〟と称した。この作風を、二代兼光と考える研究者は多いようだ。

さて、「竹俣兼光」——越後は兵農分離が遅れた土地であり、もともとは農民が持っていたという。豪農＝庄屋層＝部将であろう。ある時、山中を通りかかると激しくカミナリが鳴り、今にも雷《いかずち》がわが身に落ちてきそうに思われた。持ち主はあろうことか、兼光を抜いて頭上にかかげ、目をつぶりながらふるえていたという。

おそらく、兼光の威力――その鋒でカミナリを恐れさせ、落雷をよけようと考えたのであろうが、そこへこそカミナリが落ちたら、どうするつもりであったのだろうか。

しかし、運良くカミナリは落ちず、やがて空は晴れ、ほっと胸をなでおろして刀を下ろすと、鋒がいつしか赤く染まって、血が流れていたという。

またあるとき、大豆(小豆とも)を袋に入れて帰る途中、袋のほころびから一粒一粒と大豆がこぼれ出、刀の鞘にあたってそれらが二つに割れていく。はて、とよくみると、鞘の一部が割れて刀の刃が少し外に出ていた。そこにふれて、二つに切れたことがわかった。

これは二つとない名刀だと評判になり、重臣の竹俣三河守朝綱《ともつな》がまずは譲り受け、のちに主君謙信に奉られた。以来、「竹俣兼光」と呼称されるようになる。

弘治年間(一五五五～一五五八)の川中島の合戦のおり、宿敵・武田信玄の将で輪形月《わかつき》(若槻)平太夫という者が、鉄砲で馬上の謙信を狙い撃とうとしたことがあった。謙信は素早く馬を乗り寄せ、馬上から一刀のもとに輪形月を斬り伏せ、そのまま駆け抜けていった。

あとで武田方の兵が見ると、輪形月は鎧を身に着けていたにもかかわらず、その上から斬られており、扱っていた鉄砲は照門《しょうもん》(小銃などの照準装置)の上から真っ二つに切断されていたという。

凄まじい斬れ味。どんな刀でこのようになるのか、武田家中は騒然となった。

これこそが、「竹俣兼光」であったというのだ。

## 藤四郎吉光「五虎退」の伝説

この名刀には、興味深い後日譚もあった。謙信の後継者となった上杉景勝が、この名刀を相続。京都でわざわざ研がせたところ、家臣たちは戻ってきたこの刀の、光沢のよさに感嘆の声をあげたが、一人竹俣だけは、つくづく眺めていう。

「それは贋物《にせもの》のようですな。その証拠に、本物の兼光にははばき（刀の鐔の下につけて刀身が鞘から抜けないようにしてある金具）の上一寸ぐらいの所に、馬の毛（ごく細のもの）が通る穴があるのですが、それがこの刀にはありませぬ。このことを知っているのは、もとの持ち主の私だけです」

この竹俣は、あるいは朝綱の息子であったかもしれない。

驚いた景勝は、急ぎ京へ竹俣を上洛させ、改めて調べさせたところ、本物の兼光は清水《きよみず》の南坂でようやく見つかったという。上杉家ではことの顚末を、豊臣家の五奉行筆頭・石田三成に伝えた。すると、けしからぬ、と激怒した三成は、ついに窃盗団十三名を捕えさせると、日《ひ》の岡《おか》（現・京都府京都市山科区日ノ岡）にて彼らを死刑に処した。

竹俣の活躍で、本物は再び景勝の手へ。例の穴へ馬の毛を通してみせたところ、景勝も大いに納得したという。その後、「竹俣兼光」は太閤秀吉に献上され、大切にされたが、秀吉の忘れ形見・秀頼が、大坂城と共に滅んだおり、どうやら落ち武者に奪われ、和泉・河内（現・大阪府南部）方面へ持ち出されたようだ。

天下を取った徳川家では、「竹俣兼光」を持参したものに、黄金三百枚を与える、との触れを出したが、ついにこの名刀は現われなかった。これは『常山紀談』の挿話である。

上杉家には謙信時代の〝兼光〟が戦前、大太刀三振りあったようで、延文二（一三五七）年、同三年、同四年の銘があった。「竹俣兼光」も、もしかしたらひょっこり、現われるかもしれない。

上杉謙信にまつわる名刀は多く、立花宗茂の「**波泳ぎ兼光**」もそうだが、長い太刀が大半をしめた中で、あえて短い刀を、となれば正親町《おおぎまち》天皇（第百六代）から下賜された「**五虎《ごこ》退《たい》**」であろうか。なにしろ、刃長八寸二分（約二十五センチ）ほどしかない。

作工は、山城国粟田口の藤四郎吉光《よしみつ》である。彼と粟田口派については、すでにふれている。後鳥羽上皇が召し抱えたとされる十二名の刀鍛冶のうちに、国友・国安と二人までを出した刀工集団であり、吉光は則国《のりくに》の孫にあたった。

義将謙信は生涯に二度、上洛を果たしたが、「五虎退」との出会いは二度目の永禄二（一五五九）年のこと。このとき、十三代将軍・足利義輝は阿波から京を制した三好長慶《ながよし》によって京洛を追われ、その奪還の助勢を謙信に依頼し、謙信はそれに応えたわけだ。

四月二十七日に入洛した彼は、将軍義輝に名刀や黄金を献じ、義輝のはからいで正親町帝に拝謁することとなる。五月一日、帝に拝謁した謙信は、豪華絢爛《けんらん》たる献上品を進上。なにしろ日本海貿易の富を、謙信は握っていた。

このおり、帝から返礼として下賜されたのが「五虎退」であった。名の通り、虎を退治した（？）との伝説があった。

時代は室町に入ってからであり、幕府の同朋衆《どうぼうしゅう》（将軍に近侍して雑務をつかさどった役職）が明国へ渡ったときのこと。彼は五頭の虎に襲われたが、あいにく武芸に通じておらず、喰われるとの恐怖から、持参していた吉光の短刀を無我夢中に振り回した。

よほど必死に空を切ったのだろう。虎があきれて（？）、おなかがすいていなかったのか（？）、どこかへいってしまった。結果、〝退治〟ということになり、「五虎退」と呼ばれるようになったというが、由来は別として、名剣であったことには間違いない。

のちには「上杉家御手撰三十五腰」の一腰（一振り）に数えられ、上杉家に代々伝えられて今日に至っている。

## 織田信長が手に入れた「宗三左文字」

戦国時代の覇王・織田信長が、颯爽と歴史の表舞台に登場したのは、永禄三（一五六〇）年五月十九日のことであった。

この日、公称四万七、八千（実質二万五千）の兵を率いて、尾張に進攻した今川義元を、信長は三千弱の兵力で迎えうち、みごと義元の御首級《みしるし》をあげた。

この戦いで信長が、義元の首とともに手に入れたのが、義元愛用の「**宗三左文字**《そうざさもんじ》」であった。刃長二尺六寸（約七十九センチ）、鎌倉末期から南北朝時代にかけて活躍した筑前国（現・福岡県北部）の刀工、〝相州物〟を完成させたといわれる正宗の、〝十哲〟の一人＝左文字の作といわれている（福岡一文字派の作とも）。まずは、九州第一の名工といってよい。

もともとこの「宗三左文字」は、摂津榎並城主の三好政長《まさなが》（入道宗三《そうさん》）の持ちものであり、この持ち主から〝宗三〟の名がついた。その後、武田信玄の父・信虎の手に渡り、その娘（信玄の姉）が義元へ輿入《こしい》れしたおり、「引き出物」として「宗三左文字」を贈ったと伝えられる。

信長は義元を討ったことが、よほどうれしかったのであろう。刃長を二尺二寸一分（約六十七センチ）に磨り上げ、刃表に「永禄三年五月十九日義元《よしもと》討捕《うちとらえる》刻《とき》彼《かの》所持《もちたるところの》刀《かたな》」、刃裏に「織田尾張守信長」と銘を刻ませている。確かに、信長にとっては幸運の太刀といえよう。のみならず、『信長公記』には信長が、〃左文字〃の刀を幾度も振って、切れ味を試したことが述べられていた。好みにもあったのであろう。

その後、「宗三左文字」は秀吉―家康へと伝えられ、明治に入ってからは徳川家より信長を祀る、京都の建勲《けんくん》神社に奉納された。

## 鞘の重要性

戦国時代、武田信玄の麾下《きか》に土屋《つちや》昌次《まさつぐ》（昌続《まさつぐ》とも）という武将がいた。

戦場ではみごとな働きをする、〃武田家二十四将〃に数えられるほどの男であったが、あるとき同僚の智将・高坂昌信《こうさかまさのぶ》（本名は春日虎綱《かすがとらつな》）に、グチとも困惑ともつかない相談をもちかけた、と『甲陽軍鑑』は述べている。

「それがしの家来どもに、ブラブラしている暇があるのなら武の道に励め、と意見すると、励むのはいいが気が荒くなり、喧嘩が絶えない。さりとて、喧嘩を注意して粗暴な振る舞いを慎めと命じると、今度は武の道をおろそかにする。さてさて、いかがしたらよいものか。何かよい思案があれば、ご教授給わりたいのだが」

それを聞いた昌信は、笑いながら応じた。

「なに、さほど難しいことではござらぬ。武士の作法は、各々が帯びている刀のごとくせよ、とお命じあれば、それでよろしいのでござる」

昌次はまだ、合点がいかないようす。昌信はさらに言葉を継いだ。

「――刀というものは、よく研ぎすまし、そのうえに鞘をつけて腰に帯びるものです。むろん、目的は人を斬るためですが、そもそも鞘がなければ、腰に抜き身を帯びることはできません。わが身を傷つけないように、鞘に封じているわけです。

しかし中身がよく研がれていなければ、いざというときに役には立ちません。よく研いだ刃を、よい鞘におさめ、いつでも抜けるように鍛錬して腰に帯びてこそ、いざというときに役に立つもの。武士の喧嘩は、いわば刀を抜き身で帯びているようなもの。また、おとなしくして武をないがしろにするのは、よく研げども刃をつけずに刀を帯びたと同じ。いずれも、役にはたち申さぬ」

中庸《ちゅうよう》を行け（極端にかたよるな）、と昌信はいいたかったようだ。昌次は昌信のことばをそのまま家来に伝え、さとした。すると、家来たちは武に励んでも喧嘩沙汰を起こさなくなったという。刃の研ぎと鞘、なるほどこれらは日本刀の生命といってよい。

――少し、鞘について述べたい。

刀の身を納める筒状の要具を、鞘という。刀身を外部からの衝撃や湿気から守り、同時に人体を傷つけないよう、その保護を目的としている。刀の茎《なかご》を入れる柄《つか》と一組となっていた。一般に日本刀は、柔らかい木——朴《ほお》などの木で鞘を作った。素木《しらき》のままを白鞘《しらさや》（しらざや、とも）と呼び、手を加えることを刀装（拵《こしらえ》）といった。布や獣の皮でそれを包み、漆や金具を用いて刀を飾る行為は、古墳時代以前からあったように思われる。

すでにみてきたように、儀仗と兵仗では目的がことなり、実際に抜刀する後者の場合、黒漆の鞘やその上から皮包みしたものなど、実戦のなかで種々に工夫改良されていく。

やがて、鮫鞘《さめざや》がよい、といわれるようになり、鮫の皮を巻くように張りつけた鞘が流行するが、珍しい文様のある鮫皮はとくに珍重された。とはいえ、実は鮫ではなく、鱏《えい》の皮を用いていた、とものの本にはあった。刀装が華やかになるのは、新奇を好む安土桃山時代から。江戸時代には、大小拵を用いるようになった。

豊臣秀吉が伏見城で前田利家、徳川家康、上杉景勝、毛利輝元、宇喜多秀家ら五人の刀を拵で当てた挿話は有名だが、武士にとって拵は、それほど個性のでるものであった。

さらにこれに、小柄《こづか》・笄《こうがい》・目貫《めぬき》のいわゆる三所物《みところもの》（上記三種の装具をあわせてこう呼び、江戸時代、同一の文様で揃えることが流行した）が加えられると、それでなくとも日本刀は絢爛豪華になっていく。

## 信長、官兵衛に「圧切長谷部」を下賜す

天文十五（一五四六）年、播州（現・兵庫県南西部）の小大名・小寺《こでら》氏（御着《ごちゃく》領主）の家老の家に生まれた黒田官兵衛（諱は孝高《よしたか》）は、はやくから織田信長の勢いを察知。その天下制覇の可能性を確信して、主家の安泰を計るべく、織田方へつかせるために奔走した。

その官兵衛が、はじめて信長に謁見したのは天正三（一五七五）年七月のことであった。

この頃、信長は岐阜城にいる。広間へ通された官兵衛を信長は、近くに召し、直談をもって子細をたずね、官兵衛は臆することなく、中国征伐のために、しかるべきご家来を大将として、播州へ下されたい、そのおりには小寺家が先手を仕ります、といい切った。

「其儀《そのぎ》ならば、あの藤吉郎を幡《ばん》（播）州に遣すべし。汝が申《もうす》ごとく、幡《ママ》州手に入《いら》ずしてハ、毛利家を退治し難し。先《まず》彼国を平げん事第一の計なり」（『黒田家譜』）

信長は述べ、官兵衛に播州の先導をよろしくたのむ、秀吉と相談して諸事はからうように、そのおりは小寺家が先手をつとめるように、などと語った。

よほど信長は、官兵衛の出現がうれしかったようだ。このとき、名刀の「**圧切長谷部**《へしきりはせべ》」（正しくは、「圧切長谷部金霰鮫青漆打刀拵付《きんあられさめあおうるしうちたちこしらえつき》」）を与えている。現在、この刀は国宝となっている。〝正宗十哲〟の一で、南北朝時代の名工・長谷部国重《くにしげ》の作である。

もともとは、刃長三尺（約九十一センチ）近い大太刀であったが、のちに刃長二尺一寸四

分（約六十五センチ）に磨り上げられた。

この「圧切長谷部」には、一つの因縁《いわく》があった。信長に仕えていた茶坊主の一人、観内《かんない》（あるいは管内）が無礼を働いて、膳棚の下に逃げこんだところ、怒り心頭に発した信長は、この刀で追いかけたあげく、棚ごしに刀を圧しつけて、棚下の観内を切ったという。

その切れ味の凄まじさに、さしもの信長も驚いたようだ。「圧切長谷部」と名づけ、佩刀にしたと伝えられる（『享保名物帳』）。現在は、福岡市博物館の所蔵。

――信長への官兵衛の初見は、名場面といってよい。

ところが、『信長公記』には右のやりとりが、一切ふれられていなかった。

官兵衛にとって――のちの黒田家にとっても――生涯に渡る大事件であったのだろうが、信長にしてみれば連日やってくる諸国の大名小名の、数ある使節の一人にすぎなかったようだ。天正三年十月二十日のところに、「播州の赤松（広秀《ひろひで》）・小寺（政職《まさもと》）・別所（長治《ながはる》）・其外国衆《そのほかくにしゆう》 参洛《さんらく》 候《そうろう》て御礼これあり」とあった。この小寺こそ、官兵衛であったかと思われる。彼は次代の秀吉―徳川家康の世を生き残り、慶長九（一六〇四）年三月二十日、山城国伏見（現・京都府京都市伏見区）でこの世を去っている。享年五十九。

## 竹中半兵衛の刀剣談義

天下統一を果たした豊臣秀吉が、木下藤吉郎、ついで羽柴秀吉と呼ばれた時代、彼の軍師の役をつとめた竹中半兵衛（重治《しげはる》）は、武士は高価な刀や馬を買ってはいけない、と常々語っていた（『前橋旧蔵聞書』）。

「なぜならば、高価な馬を買って戦場に出た場合、めぼしい敵を見つけて槍を合わせようとしても、馬のことがつい気にかかるものだ。（中略）

刀も同じだ。とくに若い者は高価な刀を差してはいけない。一生の間、手放したくないような立派な刀を差せば、大切にしたいと思う気持ちばかりが強くなり、試し斬りさえ差し控えるようになる。刀は斬れればよい。しっかりと手になじめば、それで十分である。人は時として思いがけない時に、他人に刀を貸すような場面に出くわすこともある。その時に安い刀なら潔く貸せるが、秘蔵の名刀だとおしみ心が生じて貸しにくくなるものだ」

ついでながら、半兵衛が刀の置き方について語った言葉も、同書に出ていた。

「昔は刀を差したまま座敷に入ったものだが、近頃は外して別の所や、あるいは他人の刀と一緒に、一ヵ所に置くようになった。そのため、急な場合に他人のものと取り違えることがある。そこで、他人の刀が横に置かれていたら、自分の刀は立てて置くようにし、他人が柄をそろえて、ならんで刀をかけていたならば、自分だけは向きを変えて置く。

また、人の置かない場所を選ぶように心掛けるべきであり、大勢の刀の入り込んだ所に、どうしても置かなければならない時は、自分の刀が紛れないように心を尽くして工夫すべきである」

さすがは半兵衛、「常在戦場」の精神を遺憾なく語っていた。

## 名馬より「一国兼光」こそ大切

戦国武将・山内一豊《やまうちかずとよ》（正しくは、かつとよ）の妻は、〝内助の功〟を尽くした賢妻として戦前、修身の教科書にも取りあげられた。そのため、物語は広く世に知られている。

織田信長の家臣であった一豊は、ある日、馬市で稀にみる名馬を見かける。彼は、その名馬が欲しくてたまらなかったようだ。

「もし、あの馬があれば、近く信長さまがおこなわれる馬揃えでも、大いに面目をほどこすことができるものを……」

だが、如何《いかん》せん、先立つものがない。家にもどって、つい、妻の前でグチってしまった。「貧乏とは、かなしいものだな」と。妻はそれを聞き、はて、何事かと訝《いぶか》り、夫に事情を尋ね、その名馬の値を問うた。十両だ、と一豊が溜息交りに答えると、妻は嫁入り道具の鏡奩《かがみばこ》に忍ばせてあった、黄金十両をもって、夫の前にあらわれる。

その金は、嫁ぐ日に母が持たせてくれたもので、〝いざ鎌倉〟――夫の一大事のときに使うように、と申しつけられていたものだという。一豊はその金を押しいただき、名馬を購入。晴れて馬揃えの式に臨み、信長から褒められ、加増を受けたという。

実はこの挿話、すべてが創り話であった。まず、信長の時代に、いまだ金貨は流通していない。黄金十両で馬を購《あがな》うことはできなかった。刀剣も同じ。また、信長の馬揃え＝天正九（一五八一）年二月二十八日の時点で、一豊は播磨に二千石の知行地を拝領している。いかに名馬とて、馬一匹が買えない身分ではなかった。

ついでながら、一豊は信長の直臣《じきしん》になったことはない。木下（のち羽柴・豊臣）秀吉の家臣である。信長からいえば、〝陪臣〟（家臣の家来）と呼ばれた身分であった。

もともと、岩倉織田氏の信安《のぶやす》―信賢《のぶかた》の家老であった一豊の父、兄を殺したのが信長であり、その仇討ちを遂げるために、周辺の諸国を流浪した彼が、いくらなんでも信長の、直接の家臣にはならなかったろう。ただし、この〝内助の功〟の話には、原形が存在した。越前の朝倉義景を討つべく、信長が連合軍（秀吉麾下の一豊も含め）を率いて攻め込み、大敗した金《かね》ヶ崎《さき》の戦い――その再戦のおりのこと。分不相応に多数の家来をかかえて功名を狙った一豊は、不意の出陣に軍備を整えることができず、支度金に窮してしまう。

彼はこのとき妻に、「腹を切る、腹を切る」と駄々をこねた。すると妻は、どこからか黄金三枚を都合してきて、これで夫の窮地を救った、というのだ（『治国《ちこく》寿《ことぶき》夜話《やわ》』『校合《こうごう》雑記《ざっき》』）。一豊は戦国武将としての、己れの才覚で、やがて土佐（現・高知県）一国を領有する二十万二千六百石余の大名となるのだが、その生涯の裏には、苦楽を共にした「賢妻」がいたことは間違いなさそうだ。

賢妻による名馬は創り話だが、一豊は別に名刀を秘蔵していた。南北朝の時代、一世を風靡した備前長船派の刀工・兼光の作であり、「**一国兼光**《いっこくかねみつ》」の号がついた名刀であった。

江戸時代を通じて、徳川将軍家の命令で供出を求められながら、ついに奉納しなかったといわれている。もし、秘蔵していることが知れたならば、土佐一国二十万二千六百石余は召し上げられていたかもしれない。江戸時代に使われた言いまわしに、「刀の刃渡り」、あるいは「剣の刃渡り」「刀の刃を歩む」というのがある。刀の刃の上を歩く曲芸から転じて、非常に危険なことのたとえに使われた言葉だが、まさしく「一国兼光」を秘蔵しつづけた山内家にこそ相応《ふさわ》しい。

守り通したおかげで、重要文化財に指定され、今日にいたっている。

## 山内一豊ゆかりの「小夜左文字」物語

「一国兼光」と同様、重要文化財に指定された、山内一豊ゆかりの名刀に、南北朝時代の筑前の刀工・左衛門三郎の鍛えた「**小夜左文字**《さよさもんじ》」があった。

刀の銘に「左」の一字を切ったことから、「左一文字」と呼称された左衛門三郎の名刀は、刃長が八寸八分（約二十七センチ）と短かった。現存する左文字在銘の太刀は、〃名物〃の「江雪《こうせつ》左文字」ただ一振りというから、この刀工は短刀をもっぱらとしていたのかもしれない。

一豊がいまだ掛川城主というから、関ヶ原の戦い以前のことであろう。東海道の要衝・掛川にあって、関東の徳川家康を監視する立場にあった一豊は、ここで一人の研師見習いと出会う。もともと刀工も研師も、同一人の仕事であったが、戦国時代には刀の研師はすでに分業化していた。実はこの出会った研師の見習いは、母の仇《かたき》をさがしていたという。夫に先立たれ、幼子を抱えた未亡人が、生活の困窮から、家に残った唯一の夫の形見＝左文字を売る決意をした。ところが金谷宿（現・静岡県島田市金谷）に売りに出かけた婦人は、その途中、小夜の中山（静岡県掛川市佐夜鹿に位置する峠）で野伏《のぶせ》りに出くわし、短刀を奪われたあげくに殺されてしまう。

幼子はどうにか成長したものの、母の仇討ちを念願するも、相手がまったく知れない。考えた末、名刀ゆえに研師のもとへ持ち込まれるかもしれない、とわずかな望みをもって、掛川の城下で繁盛していた研師・島田助信《すけのぶ》のもとへ弟子入りしたというのだ。そしてついに、左文字を研ぎにやって来た男をみつけ、見事、仇討ちを果たした。

その話を聞いた一豊が、その研師を家臣に加えたおり、本人から献上されたのが「左文字」であったという。にもかかわらず、「小夜左文字」と呼ばれた由来は、一豊ではなく細川藤孝《ふじたか》（号して幽斎《ゆうさい》）の命名だという説も……。

この名刀を手にした幽斎が、平安時代末期の歌人・西行の一首、

年たけてまた越ゆべしと思ひきや　命なりけり小夜の中山

これにちなんで「小夜左文字」と命名したというのだが、はて、その真相は……。

## 森蘭丸、信長より「不動行光」をもらう

織田信長の小姓の中でも、森蘭丸《らんまる》（諱は成利《なりとし》、または長定《ながさだ》とも）は有名である。

彼には上に長可《ながよし》、下に坊丸《ぼうまる》、力丸《りきまる》と兄弟がいたにもかかわらず、その中で一番信長にかわいがられた。なぜか。気転がきいたからである。信長は、仕える立場からいえば、ことのほか気難しい主君であった。『備前老人物語』に、つぎのような挿話が残っている。

ある日のこと、信長が誰かいるか、と近習《きんじゅ》たちの控えている次の間に声をかけた。

すぐさま一人の小姓が、御前に罷《まかり》出て平伏した。その小姓は用むきを聞こうとかしこまったが、信長は何もいわない。ただ顎《あご》をしゃくった。退《さが》れ、という合図だ。

しばらくして、再び信長が小姓を呼んだ。別の小姓が現われたが、定められた場所に手をついてかしこまる小姓に、信長はやはり何も用事を申しつけず、「もうよい、退れ」と小姓を退らせた。

そして三度目、「誰ぞ、おらぬか」と声をあげて三人目の小姓を呼び入れた。

やはり信長は何もいわない。しばらくして、三人目の小姓も御前をさがった。が、この小姓は退りながら、部屋に落ちていた一枚の枯れ葉を、そっと拾って退室しようとした。

「それよ、よう気がついた。そのほうの心根しおらしや」

仏頂づらの信長が、ここではじめて笑った。そして小姓たちを集め、信長はいう。

「そもそも人というものは、心遣い、気働きが重要じゃ。合戦においても、攻めるとき退くとき、潮時をはかることが肝要じゃが、そうしたものは、常日頃からの気配りから生まれるものぞ」

おそらくこの三番目の小姓こそが、森蘭丸であったろう。蘭丸の気配りは、半端ではなかった。たとえば信長が、自身で爪を切っていたとする。切りおわった爪を、蘭丸に捨ててくるように、と信長が命じたところ、蘭丸は常とは異なり、機敏に動かない。何をしている、と信長が尋ねると、切った爪の数が一つ足りない、というのだ。

そこで信長が袖を振ってみると、その一つが落ちた。信長は大いに納得したという。

またあるとき、信長が厠《かわや》（トイレ）に入るおり、つきしたがって来た蘭丸に佩刀を預けた。彼は主君を待つ間に、その刀の鐔に注目。菊模様の花弁を何気なく数えたという。

それからしばらくして、信長が何かのおりに興にのり、佩刀の鐔の花弁の数を当て推量してみよ、と近習たちにいったことがある。的中したものに、この刀を与えるというのだ。近習たちは喜び勇んで、思いおもいに、当て推量した数を並べたが、一人蘭丸だけは口をひらこうとしない。はて、とその理由を信長がたずねると、蘭丸は正直に、

「わたしはすでに数えましたので、花弁の数を知っております。申しあげては、上さまを騙したことになります、それゆえに沈黙しておりました」

と答えた。信長はその殊勝な判断に感心し、その刀を蘭丸に与えた（『老談一言記《ろうだんいちごんき》』）。

このおりの信長の佩刀が、一番のお気に入り、「**不動行光**《ゆきみつ》」であったと伝えられている。鎌倉時代後期、相模国鎌倉（現・神奈川県鎌倉市）の鍛冶・藤三郎行光《とうさぶろうゆきみつ》が鍛えたとされる。作者の行光は、生没年不詳。新藤五国光の弟子といい、国光には「鎌倉住人新藤五国光作」、「永仁元（一二九三）年十月三日」の銘のある短刀があったが、行光は二字銘のみが現存している。ともに、直刃。ほかは、いずれも無銘であった。

江戸時代の寛政十二（一八〇〇）年に刊行された、『集古十種《しゅうこじっしゅ》』（模写図録）を信じれば、刀身一尺八寸六分（約五十六センチ）とある。なるほど戦国時代であれば普段の差し料、腰刀《こしがたな》としては十二分にあり得た。重要文化財に「行光」は、刀四口、脇指一口、短刀一口が指定されている。

蘭丸は信長から拝領した刀を肌身はなさずもっていたが、天正十（一五八二）年六月二日、本能寺の変が勃発。信長と死をともにした蘭丸は、享年十八。「不動行光」は焼失したが、一説では焼け跡から発見され、焼き直されて小笠原家に伝えられたともいう。

## 〝第三の方策〟を発揮した細川藤孝の「古今伝授行平」

戦国乱世の中、室町幕府の名門に生まれながら、五つの政権――室町十三代将軍・足利義輝、同十五代将軍義昭、織田信長、豊臣秀吉、徳川家康――を巧みに生き抜いた、稀有な武将に、細川藤孝がいた。

信長と同じ年生まれのこの人物は、絶体絶命の危機に幾度も直面しながら、敵に媚びることをせず、人々に後ろ指をさされることもなく、常に正々堂々と生き残った。

――たとえば、本能寺の変である。

藤孝の子・忠興《ただおき》の妻は、世にいう細川ガラシャ――つまり、明智光秀の娘であった。

主君の信長を本能寺に討った光秀は、当然のことながら、親密な婚姻関係にある細川藤孝―忠興父子の、賛同と支援＝明智政権への参加を期待していた。

しかし藤孝にすれば、主殺しによって得た光秀の天下が、そう長くつづくとは思えない。本当なら、面と向かってその非を鳴らしたかったろうが、それはできない相談であった。なにしろ、畿内には光秀の軍勢が充満していた。

迂闊に逆らえば、細川家は瞬時に滅ぼされてしまう。通常、こうした場合は選択の途は二つしかあるまい。とりあえず光秀に迎合するか、いま一つは、滅亡を覚悟で戦うか。多くの武将は、いずれかを選んだことであろう。ところがこのとき藤孝は、第三の方策をもって、みごとにこの危機を乗り切ったのであった。彼は光秀に対して書簡を送ると、

「信長さまの弔いに、専念したい――」

そう己れの意志を告げて、忠興ともども髪をおろし、自身は「幽斎」と号して隠退を表明したのである。行動そのものは明白に、光秀に対して批判的であった。しかしながら、世俗を捨てて仏門に入ろうとする藤孝を、さしもの光秀とて討つわけにはいかない。

結局、光秀は藤孝父子にすら見捨てられたのか、と世間の嘲笑を買い、〝中国大返し〟で駆けつけた羽柴（のち豊臣）秀吉に山崎の合戦で敗れ去った。

藤孝は秀吉のもとへ密使を派遣する一方、予定戦域の情報を収集し、いちはやく秀吉の

陣営にわが子・忠興を参加させている。これがのちの、肥後熊本五十四万石（忠興の次代・忠利《ただとし》のとき）の礎《いしずえ》を築くことにつながった。戦国の心ある武将たちは、

「――さすが名門の細川どの」

と、喝采を惜しまなかったという。

藤孝のこうした〝第三の方策〟については、関ヶ原のおりにも、遺憾なく発揮された。次代の天下人とみた徳川家康に、わが子・忠興を託した老将・幽斎は、居城・田辺城を老兵や婦女子らとともに守った。その総数一千――。

そこへ、西軍（石田三成方）の小野木重勝《おのぎしげかつ》らが一万五千の兵力で押し寄せる。開城か玉砕か――二者択一を迫られる中、幽斎は師から弟子へと継承された、己れのもつ門外不出の「古今伝授《こきんでんじゅ》」（『古今和歌集』の解釈の秘伝）が、ここで絶えることを恐れ、籠城する前からこのことを朝廷に働きかけていた。すると、武家同士の合戦には見向きもしなかった朝廷が、勅使を田辺城に派遣することとなる。

最初、朝廷からの開城の働きかけに対して、否と答えていた幽斎ではあったが、ときの後陽成《ごようぜい》天皇（第百七代）の皇弟・八条宮智仁《はちじょうのみやとしひと》親王から使者が送られてくるに及んでは、畏《おそ》れ多し、と開城をのみ、攻城方とは休戦となった。なにしろ西軍の主張する豊臣恩顧の、この豊臣は公家の棟梁であった。勅使を否定できる道理がない。

藤孝は正々堂々の、開城をやってのけた。この手際の良さに、家康はただうなったという。こうした、みごとな武将もいたのである。

このおりの勅使・権大納言の烏丸光宣《からすまるみつのぶ》に、幽斎が「古今伝授」とともに贈ったのが、行平《ゆきひら》の太刀であった。鎌倉時代初期、すでにみた後鳥羽上皇の召し抱えとなった十二人の、御番鍛冶の一人、豊後国（現・大分県）の行平の鍛えた一振りであるという。太刀は細身で優雅であり、直刃のもので、「豊後国行平作」と銘にあった。

幽斎は悠々自適に振舞い、戦後、忠興は豊前国に三十九万九千石の大名となり、その子（幽斎の孫）の忠利は、ついには熊本五十四万石の太守となった。

実はこの幽斎、「古今伝授」を三条西実枝《さんじようにしさねき》（実世・実澄）から伝授される一方で、それ以前に将軍義輝に仕えていたおり、その側近として塚原卜伝や上泉伊勢守信綱に剣術の技法を学んでいた。それも、義輝なみの腕前に達していたように思われる。

「**古今伝授行平**」と呼ばれるようになった名刀は、その後、細川家に戻り、現在も永青文庫に収蔵されているという。

### 織田信雄、「岡田切」を振う

織田信長の次男・織田信雄《のぶかつ》（一五五八～一六三〇）は、当てがはずれて困惑していた。

父と長兄・信忠が本能寺の変で倒れ、己れこそが織田家の相続人だと思い込んでいたところが、三法師《さんぼうし》（のちの秀信・信長の直孫《じきそん》）の後見人にまつり上げられてしまった。落胆したが、仇敵・明智光秀を討った功労者の羽柴秀吉は、「三法師君は乳飲み子であり、天下はあなたのものだ」と囁いた。信雄はその言葉を信じ、異母弟の信孝を擁した柴田勝家が秀吉と対決したおりも、秀吉を支持し、信孝に腹を切らせている。

ところが、勝家を討滅した秀吉は上洛し、従四位下に叙せられ、参議となり、公卿となった。お人好しの信雄も、ようやく秀吉が織田家の天下を横領しようとしていることに気づく。己れの血脈に加え、尾張に百万石を領有していた信雄は、これをもって、自分には天下の覇権を争う資格がある、と錯覚したようだ。

とはいえ、天下分け目の戦いをやり抜く大将の才が、己れにないことはさすがに自覚していた。そこで、かつての父の同盟者・徳川家康を味方陣営に引き込んだ。

家康は、織田家中が相続争いに明け暮れているのを幸いに、ひたすら自領拡張に打ち込み、この時点で五ヵ国百三十万石に及ぶ大版図を築くにいたっていた。

秀吉にとっては当然、信雄より家康が手強かった。正面から戦っても、負けるとは思っていない。が、戦えば天下平定は、十年以上も遅れるにちがいなかった。

考えあぐんだ秀吉は、信雄の勢力を削ぐため、側近の三家老を巧みに懐柔し、自陣に引き入れた。が、そのことに気づいた信雄は、天正十二（一五八四）年三月六日、三家老を長島城へ呼び寄せ、三人ともに殺害してしまう。

このおり、三人の一人＝尾張星崎城将・岡田重孝《しげたか》を斬るのに使ったのが、鎌倉中期の名工・吉房《よしふさ》の、刃長二尺二寸八分（約六十九センチ）であった。

この名刀は三・一センチと身幅が広い、見るからに豪快な太刀であった。

信雄にすれば、成敗である。斬った逆臣の姓をとって、「**岡田切**」とこの名刀は呼ばれることになる。現在は、東京国立博物館蔵となっている。

三家老を信雄が成敗した翌日、家康は大軍を率いて浜松城を出陣した。三月十三日、家康は尾張清洲に入って信雄と会見、四日後には秀吉方の池田勝入斎《しょうにゅうさい》（恒興《つねおき》）、森武蔵守（長可《ながよし》）らの軍勢を、容易に撃破してみせる。秀吉は、いささか出遅れた。彼がようやく大坂を離れたのは、三月二十一日。このとき家康は、濃尾平野の拠点・小牧山を占拠し、陣地の構築も終えていた。四里（約十六キロ）後方には、信雄の清洲城（清須城）がある。

秀吉は正面からの激突を避け、途方もない野戦の城塁を築いた。

膠着状態になりかけたころ、前哨戦で家康勢に敗れた池田勝入斎が、家康の本拠三河（現・愛知県東部）に長駆し、奇襲する大作戦を進言、許可された。もとより家康は、この動きを見逃さなかった。小牧山本陣をひそかに脱して、敵の奇襲部隊を逆に急襲。

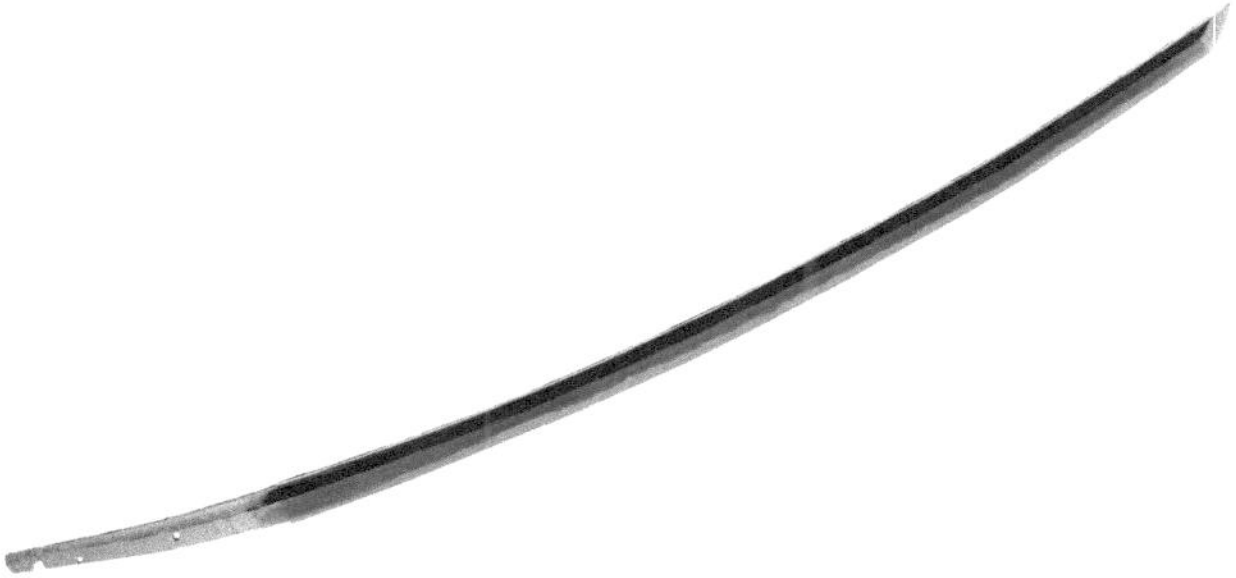

（写真 4-1）「大包平」は日本刀の最高傑作とも称される

四月九日、家康は森武蔵守、池田勝入斎を討ち取り、局地戦ながら秀吉に勝利する。

ついでながら、この勝入斎の次男が、のちに家康の娘・富子（督姫・北条氏直《うじなお》の未亡人）を妻に迎え、〝白鷺城〟と呼ばれる姫路城――その城主となる池田輝政である。

輝政は五十二万石の大名であった。彼は大の刀剣マニアで、金にいとめをつけず名刀を収集したが、その中には、天下五剣――「三日月宗近」「鬼丸国綱」「数珠丸恒次」「童子切安綱」「大典太光世」――に比敵する「**大包《おおかね》平《ひら》**」（写真4－1）もあった。平安末期に活躍した、備前国の刀工・包平の作。刃長が二尺九寸四分（約八十九センチ）あった。刃長の長いことから、〝大〟の一字がつけられたとされている。

この名刀も「岡田切」とともに、現在は東京国立博物館に収蔵されている。

さて、秀吉はどうしたか。家康を無視し、動きの鈍い信雄を立ち枯れにする戦法をとった。百万石の領土のうち、瞬く間に六十万石程度をおさえ、信雄方の諸将を籠絡、ついには信雄に単独講和を結ばせてしまった。

家康は戦闘には勝ちながら、同盟者の信雄に見捨てられたのだから、結局は秀吉に敗れた印象を、天下に晒したことになる。組んだ相手が、劣悪すぎた。

小牧・長久手の戦いを経て、秀吉は関白となり、ついに家康をも屈服させ、天下統一をなし遂げる。信雄は一度、所領を没収され、配流となり、許されて秀吉の御伽衆《おとぎしゅう》へ。

のちに、大坂冬の陣においては、豊臣秀頼に招かれたが遁走し、結果として家康から五万石を与えられた。この男には、身の丈にあった石高であったといえよう。寛永七（一六三〇）年四月、信雄は七十三歳の生涯を終えている。

## 戦国の女城主・甲斐姫の「浪切」は冴え

「東国一の女将軍」、「無比の美人」と噂された甲斐姫は、豊臣秀吉に懇望され、その側室となった。戦国時代を通じて、才色兼備に武勇まで——三拍子を備えもった稀有の女城主であったといえよう。

『藩翰譜《はんかんぷ》』や『成田系図』などに拠れば、関東・北条氏の支城・忍城《おし》（現・埼玉県行田市）

の城主・成田氏長《うじなが》の女《むすめ》（一説には妹。成田長泰《ながやす》の女とも）と伝えられる。

この甲斐姫の名が一躍、世に知られたのは、天正十八（一五九〇）年の秀吉による小田原攻めのおりであった。小田原城主・北条氏政に味方すべく、一門の氏長が麾下の精鋭三百五十騎を率いて出陣するにあたり、忍城の後事を託したのが、その正室と長女の甲斐姫であったという。

本来なら、男子を城主に据えて出陣したかっただろうが、氏長には残念ながら、男子の世継ぎがいなかったようだ。いずれもが、腹違いの娘ばかりが三人――。

とはいえ、甲斐姫は父・氏長も驚くほど文武に秀でていたから、後顧の憂いはなかった。ときに、甲斐姫は十九歳。氏長は出陣に際して、わが娘に念を押す。

「姫は軍事に明るく、武勇も衆に抜きん出ている。しかし、忘れてならぬのは、姫が女であることだ。勇にまかせて無闇に戦い、万一、身分卑しき者の虜にでもなろうものなら、その身の恥辱だけではすまない。成田家末代までの傷となろう。よくよく城を固めることに専念し、小田原からの指図に従うように――」

そして忍城には、城代・成田泰季《やすすえ》が三百の兵、二千七百の領民とともに残された。

ところで、現在の埼玉県の地図を展《ひろ》げてみると、行田市が新旧の利根川、荒川が平行して流れる地にあり、忍城はその西方の一画を占めていたことが知れる。また、忍城跡＝水城公園を訪れると、かつての忍城が〝浮城《うきしろ》〟であったこともうかがえた。

浮城とは、城砦が水上か河川の中州、もしくは湿地（深田《ふけだ》、沼沢地帯）に築かれ、城砦の防備を水もしくは湿地に求めた城をいった。忍城は浮城であるとともに、〝関東七名城〟の一つに数えられる堅城でもあり、秀吉軍の来襲に備えて、忍城ではただちに城砦を取りまく沼沢や深田が掘り下げられ、深濠がつくられ、周囲には土塁が巡らされた。

――甲斐姫の武名は一面、この名城によって支えられた、といえなくもない。

敵の攻撃を避けて百姓、僧侶らとその家族が入城し、城には三千人もの非戦闘員が収容されて、甲斐姫が総大将として采配を振ることとなった。六月に入ると忍城には、秀吉方の石田三成を総大将とする大谷吉継、長束正家《なつかまさいえ》らの軍勢が押し寄せてくる。

彼らは忍城への途次、北条氏政の弟・氏規《うじのり》の籠る館林城を攻め、勢いに乗ってすでに降っていた佐竹、宇都宮、結城《ゆうき》、佐野などの軍兵をも加えて、総勢は約一万五千。

だが、忍城は名だたる堅城――一気呵成の力攻めを試みた三成は、城方が寄手を引きつけての一斉射撃と、鉄砲に浮き足立つ攻城軍につけいる攻撃によって、逆に翻弄されるありさま。城方の総大将・甲斐姫は城内にあって、ときに白鉢巻に襷《たすき》姿も凜々《りり》しく、薙刀を小脇に城兵を鼓舞したから、城内軍兵《ぐんぴょう》の士気はますます盛んであった。

かくして三成は忍城を攻めあぐね、ついに尋常の手段では落とせぬ、と判断するや、水攻めの戦法を採用する。かつて秀吉が実行した、備中高松城攻めを真似たのかもしれない。周辺の村々の農夫が徴用され、工事は予定通りに五日間で完成した。

六月の長雨は、いたるところで河川の増水・氾濫となって、さしもの忍城も濁流の藻屑かと見えた矢先、完成した土堤《どて》は随所で決壊。攻囲軍に、三百人もの溺死者を出すありさまとなった。結果、忍城攻めはまたしても失敗となる。

三成はさらに浅野長政、真田昌幸らの援軍を得て、強襲につぐ強襲を繰り返したが、忍城はついぞ落ちなかった。それもそのはず、烏帽子形の兜に小桜縅《おどし》の鎧、猩々緋《しょうじょうひ》の陣羽織の甲斐姫が、成田家伝来の名刀「**浪切**《なみきり》」を腰に、金覆輪《きんぷくりん》の鞍をつけた黒駒にまたがり、銀の采配を携えて、絶妙のタイミングで斬って出たのである。従う数百の城兵、非戦闘員たちは、この女城主の姿に憧憬の思いを抱くとともに、勇気を奮い立たせて、生命賭けで姫を守りつつ、戦った。

甲斐姫の「浪切」は冴え、彼女は善戦した。が、この間に肝心の小田原城が陥落。七月十六日、甲斐姫は父・氏長の説得で、ようやく三成にわが城を明け渡した。甲斐姫の父・氏長は下野烏山《からすやま》城主に取り立てられ、文禄四（一五九五）年にこの世を去っている。

男子がいなかったため、本来なら領地没収となるところだったが、秀吉に懇願した甲斐姫の尽力により、氏長の弟である泰親《やすちか》（長忠とも）の相続が認められた、と『行田史譚《ぎょうだしたん》』

（森尾津一著・行田市史編纂委員会編）その他が記録している。

甲斐姫が使用した「浪切」のその後は、杳《よう》として知れない。またその詳細も、何処にも書きとどめられていなかった。ぜひ、一見したかった名刀である。

## 天下五剣「大典太光世」を手に入れた前田利家の分限

天下人・豊臣秀吉をして、「おさなともだちより、りちぎを被成御存知候《ごぞんじになられそうろう》」（原文のママ）と遺言で述べられた前田利家（一五三八〜一五九九）は、加賀・能登・越中の三ヵ国で百万石を領有。豊臣政権下では、二百五十一万余石の徳川家康につぐ大身《たいしん》となった。

彼は秀吉との友情に似た節義を喧伝され過ぎたせいか、律義者の面が強調されてきた。が、若い頃は血の気の多い〝傾奇者《かぶきもの》〟であり、そうした性根は老いてもかわらなかったようだ。京都の伏見城で、秀吉が諸大名を相手にくつろいでいたところ、誰いうとなく、得体の知れないものが、この城の千畳敷の廊下に出る、とのうわさ話をした。

すると、居合わせた利家が、そんな化物をみるのは臆病者だからだ、と一笑に付した。ならば、ぜひご検分を、ということになり、けしかけられた利家は「よし」と席を立った。このとき、これをもっていけ、と秀吉から利家に贈られたのが、名刀「**大典太光世**《おおてんたみつよ》」であった。その場にいた人々は、大いに驚嘆したことだろう。なにしろこの刀、〝天下五剣〟に数えられた、筑後国三池の名工・典太光世の鍛えた太刀であったのだから。

後世の江戸時代、刑場に積んだ二体の死体を一刀両断、それでも切れ味の鋭さは止まらず、鋒が地面に約十五センチも斬り込んだといわれている。

もとは足利将軍家重代の宝刀として、伝えられたものであった。

もとより化物はおらず、利家は秀吉からこの天下の名刀を褒美にもらったという。

別に、利家の四女で秀吉の養女となった豪姫《ごうひめ》が、病に冒されたおり、「大典太光世」を秀吉が貸しあたえ、その枕元に置いて病魔を退散させた、という逸話もあった。

一度、豪姫の病いは癒えたのだが、再び、寝込むようになり、改めて「大典太光世」を秀吉が貸したおり、返すには及ばぬ、といい、前田家の重宝《じゅうほう》に加えられたともいう。

いずれにせよ、秀吉にとっては天下の名刀を与えてもおかしくないほど、利家はありがたい人物であったろう。天正十一年四月、亡き主君・織田信長の遺産をめぐって、柴田勝家と秀吉が対立したとき、利家は勝家陣営にあって、賤《しず》ヶ岳《たけ》の全戦線を一望できる場所に布陣していた。その彼が合戦の開始とともに、自軍を後退させて戦線を離脱する。

その結果、勝家方の諸将は浮き足立ち、全軍の崩壊につながってしまった。もとより利家の行動は、秀吉への友情などが起因ではなかったろう。あくまで現実の過酷さ――味方の敗戦を読み、自家保全――を考えてのことであったが、そのタイミングの絶妙さは、秀吉をして友情物語を創らせるだけの価値を持っていた、と見るべきではあるまいか。

しかも利家は、己れの分限を心得ていた。彼には天下取りの野心はなかったようだ。家康同様に豊臣家を簒奪できる立場にありながら、豊臣家を守って家康と刺し違え、死のうとまで企てた。それでいて利家はそのことを実行に移さず、己れの死が近付くと、

「――どうやら、これが暇乞いでござるよ」


と、刺し違えるべき家康に、自家の後事を託している。

利家は嗣子《しし》の利長に遺書をしたため、細々と訓戒したが、その中で次のように語った。


「いまより三年の内に、騒ぎが起きる。そのおりは、秀頼公に謀反する者を討て――」


しかし利家は、家康を名指しにして、戦えとは遺言しなかった。ここにも、この武将の本性がうかがえる。

利家の死後、家康にいわれなき濡れ衣を着せられ、加賀征伐を標榜された利長が、母の芳春院の助言を入れ、家康に膝を屈したのも、利家の深謀遠慮といえようか。前田家はその後、三代に名君利常を得て、幕府の衆人環視のもと、加賀百万石の難しい舵取りを巧みに、武から文へと転換させ、加賀文化を見事に築き上げた。

前田家の宝刀は、その一翼を担ったといえる。

## 加藤清正の虎退治の槍は花嫁道具に⁉

戦国武将・加藤清正が、手際よくやってのけた歴史的な軽業は、戦での強さと領国経営に卓越した手腕を発揮したこと——この二つを、見事に両立させたところにあった。

本来、合戦と領国経営は並立しないものだ。戦に勝つには、戦費が入用であり、その負担が領民に重くのしかかっては、領国経営はできない。もし、無理をすれば行政上、必要不可欠な投資は等閑《なおざり》にされがちとなる。

清正は二十代半ばで肥後国の約半分、所領十九万五千石の領主として、まずは可能なかぎりの領内経営に努力した（彼が一国すべてを領有するのは、関ヶ原の戦いの後である）。秀吉から朱印をもらい、呂宋《るそん》（フィリピン）でのスペイン貿易に着手。小麦を輸出し、鉛や塩硝《えんしよう》（火薬の原料）などを輸入し、その利益をもとに熊本城を築くことになる。

筆者は、この加藤清正という人物、実は主君秀吉と、よく似た性格の人ではなかったか、と疑ってきた。両者は育った環境が同じ尾張であり、他人を魅了する人柄、人望、そこから導き出される外交戦の鮮やかさ、気宇の雄大さに相通じるところをもっていた。が、秀吉は実戦の将としては、必ずしも功名の人とはいえなかった。

逆に清正には、歴戦の勇将、剛直の将といったイメージがついてまわっている。

これはあくまでも、文献的推察の域を出ないのだが、清正は秀吉の手許に引き取られてから、その全人柄を受け止め、己れの役割を、秀吉に欠けた部分の補完と思い定めてバランスをとって生きてきたのではあるまいか。清正の戦と経営の両立も、その巧みなバランスの均衡にあった。

同じことは、刀槍にもいえた。清正は秀吉の死後、自らが徳川家康に接近し、秀吉の遺児・秀頼との間で、バランスをとることが、己れの役割と思い定めていた形跡があった。

慶長五（一六〇〇）年九月の関ヶ原の戦いののち、清正は五十四万石の太守となったが、慶長十四年に家康から十男・頼宣《よりのぶ》（のち紀州徳川家の藩祖）の嫁に、そちの娘（のちの瑶林院）を、と所望されたときも、豊臣家を守るにはこの縁組は必要不可欠と考えた。

それゆえであろう、清正の娘の婚礼への気の使い方は、尋常一様のものではなかった。所蔵していた名刀宝剣を、ことごとく娘の結納品としている。

虎退治に用いられた、という逸話の残る片鎌槍も、このおりに贈られている。無銘で穂長は一尺七分（約三十二センチ）、長い鎌が四寸二分（約十三センチ）、短い鎌が一寸三分半（約四センチ）――朝鮮出兵のおり、片方の枝（片鎌）は虎に嚙み折られた、と伝えられているが、実物には焼刃が全体に入っていて、折れた形跡は微塵もなかった。

が、真剣で切り込まれたあとはあり、実戦に使用されたものであることは間違いない。青貝螺鈿《あおかいらでん》の柄がついていた。さらに清正は、直槍《すやり》を二本加えている。

一本は穂長二尺四寸四分（約七十四センチ）の大身の槍で、両鎬造直槍、銘は「備州長船祐定《すけさだ》」で永正元（一五〇四）年二月の作であることから、清正の生まれる約六十年前の作となる。もう一本は、総長二尺二寸九分（約六十九センチ）の平三角大身の槍——銘は「兼重作」とあり、戦国時代の美濃工によるものであった。

さすがに、秀吉が柴田勝家と戦い、勝利した賤ヶ岳の戦いにおいて、〝七本槍〟に数えられた歴戦の兵らしい、持ち物である。

加えて、清正が手放したのが「**日光助真**《にっこうすけざね》」（国宝）である。福岡一文字派の助真は、福岡一文字助房の子として生まれ、北条時頼に招聘された刀工。

主人の秀吉が豪華絢爛な拵《こしらえ》を好んだのに比して、清正はそれ以前の天正拵という、黒漆塗りの重厚で堅牢な刀装を用いていた。

別の説では婚礼以前に、清正から家康に贈ったともいわれるが、いずれにせよ、家康はこの名刀を好み、息子の頼宣に与えてのち、家康の死後には日光東照宮にあえて納められた、と伝えられる。

——清正には、もう一つ忘れてはならない愛刀があった。

娘の婚礼の二年後、慶長十六（一六一一）年三月二十八日、秀頼が家康と久しぶりに京都二条城で会見したおり、秀頼の身を案じて、かたときもその傍らをはなれず、懐にしのばせていた短刀である。備前長船派の中で、〝末備前〟と称される祐定が鍛えた一刀は、もし、秀頼の身に万一のことが起きた場合、家康と刺し違えてでも秀頼を守ろうとした、清正の執念がこもっている。幸い、会見は無事に終了する。

あまりのうれしさに、清正は短刀を握りしめて号泣したともいう。

ところが、その三ヵ月後の六月二十四日、帰国の途次に発病した清正は、熊本城で五十年の生涯を終えた。秀頼が大坂城とともに滅んだのは、その四年後であった。

しかし今日なお、決して弱音を吐かず、努力と忍耐をつづけ、つねに凜乎《りんこ》として乱世を生き抜いた、加藤清正の人気は高い。

## 鞘師・曾呂利新左衛門の正体

刀装史上、黄金時代といえば桃山時代であったろう。自由で華やかな意匠が施され、その頃の武家気質が如実に現われていた。すべては、秀吉の影響といえなくもない。

その秀吉が、前述の鎌倉幕府執権・北条時頼を真似て、巡国の旅に一人で出かけるといい出した。とんでもない、狡猾な者があらわれて、殿下に万一のことがあってはとり返しがつきませぬ、と五奉行の一、前田玄以《げんい》なども止めたが、秀吉はいうことをきかない。

「日本はわが掌握にあり、何ぞ我に敵す者があろうか」

一喝したため、それ以上に諫争《かんそう》する者はいなくなった。

それから一両日がすぎて、泉州堺（現・大阪府堺市）の鞘師・杉本彦右衛門が御前にまかりこした。この男は滑稽な軽口をきき、話し上手であったため、秀吉が大いに気に入っていたのだが、持病をかかえて、なかなか城にあがることができなかった。

それが、久しぶりに御前にまかりこした。秀吉が何か珍しいことはないか、と問いかけると、彦右衛門は願掛けに河州福玉山《ふくおうざん》光の不動尊（現・大阪府河内長野市にある福玉山光瀧寺《こうたきじ》）へ参籠《さんろう》してきたことを話した。

「――聞きしに勝る大きな飛泉《ひせん》（滝のこと）で、しばしながめていますと、身の丈《たけ》二丈《じょう》（約六メートル）ばかりの『凌兢悪鬼《りょうきょうあっき》』が出現しましてな。指にてわれをつかみ取って、引き裂き喰おうとします。それがし、鬼にむかっていいました。あなたに手向うことなど思いもより申さず。ただ、われは生れつき奇怪のことを見るのがすきでしてな、あなたさまの巨大な姿をみたからには、死んでも本懐ですが、その前に一度、姿を変じてみせてもらえれば、もう思いのこすことはございません。すきなように、なさって下さい。

そういうと鬼は、合点してたちまち消失し、小さな梅干と化して、わが前に現われたのです。それがし、これをとって口に入れ、咀嚼《そしゃく》して腹の中へ。鬼は再び現われず、虎口を脱してなんとか、帰宅することができました」

彦右衛門の話を聞いた秀吉の近習たちは、大笑いして、いかさまな話を、とあざけり笑い、退出していった。その翌日、秀吉は近習たちに、昨日のあやつの話は、ただの荒唐無稽なものではない、といい、彦右衛門はわが諸国行脚を止《とどめ》んと諫言《かんげん》したのだ、といった。

よいか、わしは今、天下に恐れる者のない身の上、丈二丈の鬼のようなものだ。しかし、軽装の身で旅に出れば、服せられた梅干のようなもの。巡国をとりやめるべし、とあやつはいいたかったのだ。秀吉は、この諫言を素直にうけ入れる。

この彦右衛門こそ、のちに坂内宗拾《そうじゆう》と号し、鞘師として天下にその名をとどろかせた人物であった、と『訪書余録《ほうしよよろく》』（和田維四郎《つなしろう》著）はいう。彼の自製する鞘は、実に具合よく刃身を納め、そろり（ゆっくり、するり）と入った。そのことから、自らを〝曾呂利《そろり》〟と呼んだ。能書家であり、香道の達人でもあった。

実は秀吉の御前にまかり出たとき、彼は死期迫る病状にあった。やがて臨終を迎えたとき、秀吉は上使を立てた。その上使に、ふせりながら彦右衛門は合掌しつついう。

「許しをこわず、ふせっております。大病にて落命旦夕《らくめいたんせき》にあり。片便宜《かたびんぎ》（一方通行の便り）にて候へども、冥途へ御用あれば仰せ付けられ候ように、仰せ上げられ候」

そういって、相果てた。慶長二（一五九七）年のことという（没年には諸説あり）。秀吉は、大いに悲しんだという。杉本彦右衛門は後世、曾呂利新左衛門と呼ばれるようになった。

## 徳川家に祟った〝妖刀〟村正

意外なことのようだが、忍耐強く、〝待ち〟に徹したとされる徳川家康は、もともとはカッとなると見境がつかなくなる、激越な人であった。

これは徳川（それ以前の松平）の、血統そのものといえた。

現に家康の祖父・松平清康《きよやす》、父の松平広忠《ひろただ》、家康の長男・松平信康《のぶやす》は、三人ともにカッとなる性格がわざわいして、家臣によって殺される運命をたどっていた。

もし、家康が己れで己れを抑制する人質生活や、不遇時代（信長・秀吉に頭を押えられた時期）を体験していなければ、おそらく天下を取るどころか、三河の土豪同士の小競り合いの中で、前方からの敵のみならず、家臣のいる背後からも攻撃を受け、頓死《とんし》した公算が高かったように思われる。

その家康の憧憬してやまない祖父の清康は、二十歳までに奪われていた松平の旧領を復活したばかりか、西三河の諸豪族をあらかた討ち平らげている。次いで、今川氏の支配下にあった東三河の経略もおこない、天文初年（一五三〇年代）には三河一国をほぼ席捲するにいたった。

清康の性質は豪邁で勇猛果敢、家康に似て小ぶとりであったが、馬上での指揮する姿は、惚々《ほれぼれ》する大将ぶりであったという。それまでの松平氏の本拠地・安祥城《あんじようじよう》から、岡崎城に移ったのも清康である。それでいて彼は、あまりにも呆気ない終焉を迎えていた。

天文四年（一五三五）、尾張に出陣した清康は、「逆心あり」との讒言《ざんげん》がもとで、あろうことか譜代の重臣・阿部定吉《さだよし》の子、弥七郎（諱は正豊）によって、背後から「村正《むらまさ》」で斬殺されてしまう。ときに、清康は二十五歳。

大久保彦左衛門（忠教《ただたか》）は、江戸時代になってその著書『三河物語』の中で、阿部弥七郎を「日本一のあほう弥七郎」と罵《ののし》っている。この変事を、清康が布陣した尾張・春日井《かすがい》郡森山（現・愛知県名古屋市守山区）の地名をとって、〝守山（森山）崩れ〟という。

清康の子・広忠は、父の死で没落。遠州（現・静岡県西部）まで逃れ、ついには駿河（現・静岡県中部）を中心に〝東海道一の太守〟といわれた今川義元の庇護を恃《たの》むにいたった。

ところが広忠は、家臣団の派閥争いと、今川家・織田家の二大国に挟まれ、天文十一年十二月二十六日に生まれた竹千代（のちの家康）を、今川家に人質として送り出しながら、途中、織田家に奪われる不手際まで重ねてしまった。

あげく、広忠は天文十八年三月六日、加茂郡広瀬（現・愛知県豊田市）の城主・佐久間九郎左衛門の密命を受けた、刺客の岩松八弥《はちや》の手にかかって暗殺されてしまう。広忠はわずか二十四歳であった。偶然ながら、このとき八弥が用いた脇差も「村正」であったという

（『岡崎領主古記』）。悲劇は、十代で家康がもうけた、最愛の長男・信康にまで及んだ。

## 徳川光圀・真田信繁は村正ファン

一般には織田信長が、信康のなみならぬ器量に比べ、自分の不出来な息子・信忠の将来を危惧し、信康の生母・築山殿（家康の正室）が武田家と内通していた事実にこと寄せ、無関係の信康にむりやり腹を切らせた、といわれている。

だが、見落としがちなのは、このおり信長は、ことの是非を確かめるべく、家康の家臣団で筆頭の地位にあった酒井佐衛門尉忠次《さえもんのじょうただつぐ》に面会し、直接、事実関係を質していたことだ。信長は忠次を懇《ねんご》ろに迎え入れ、座がくつろいでから本題に入った。

信康に謀叛の企てがあるや否や。普通なら「一のをとな」の立場上、懸命に否定してしかるべきであったろう。ところが忠次は、信長の挙げる罪状をことごとく認めてしまう。理由は、信康の体内に流れる激越な血が、重臣を重んじようとはせず、頭ごなしに追い使って、実に軽々しく振る舞うことにあった。

忠次は幾度となく信康に諫言したが、生まれながらの三河の国守の小伜《こせがれ》は、いっこうに聞く耳をもたない。徳川家の存立基盤――三河の土豪連合軍――にたいして無頓着に過ぎ、むしろ家臣の分際で傲岸《ごうがん》だと忠次を憎み、人々の面前で罵倒・嘲弄《ちょうろう》することも多かった。忠次にすれば、土豪・酒井党が生命と同様にいとおしい。信康の代になった場合、果たして無事に過ごすことができるのであろうか、真剣に苦悩してもおかしくはなかった。

忠次の証言で、信長は家康に長男の切腹を命じた。信康の享年は二十一である。

――この信康を介錯した刀も、村正であった。

家康は自らが村正で斬りつけられたこともあり、

「いかにして此作《このさく》の当家にさはる事かな」

と村正の作の刀を、すべて捨てるように命じたという。

作者の村正は、生没年不詳。室町・戦国時代の伊勢国桑名の刀工で、同じ銘は江戸時代初期まで及んでいる。初代には「文亀《ぶんき》」や「永正《えいしょう》」の年紀作があり、官名の「右衛門尉」や姓の「藤原」をきり添えた作品もあった。大のたれ刃を好んで焼き、刃文を表裏揃える特徴がある。家康の身近な人々を死にいたらしめたということで、村正は公然と嫌忌され、銘を削り取ったり、あるいは他の銘に変えられたりしたという。

ところが、逆に幕末には倒幕（のち討幕）の気運が高まるにつれて、志士たちは好んで村正銘を腰に差した。ちなみに、その反徳川の先駆けは、大坂の陣で家康を追いつめた真田《さなだ》信繁《のぶしげ》（俗称・幸村）であったという。

信繁の刀に関して、徳川光圀が興味深いことを述べていた。

「真田左衛門佐信仍（くずし字の繁の読み違い）は、東照宮（家康）へ御敵対したはじめから、村正の大小を常に身に離さず差していた。そのわけは、村正の刀が徳川家に祟るという話を聞き、当家調伏《ちょうぶく》の心でそうしたのである。士たるものは、ふだんから真田のように心を尽したいものである」（『西山遺事《せいざんいじ》』）

――これは、二重の意味で面白い。

信繁の活躍はなるほど、と納得させるものがあり、発言者の光圀は、『大日本史』を編纂させ、幕末に水戸学が広まったおり、その教祖と仰がれた人物であった。

〝妖刀〟村正は、徳川宗家に祟ったのかもしれない。が、村正は斬れ味のよい名刀であり、尾張徳川家でも代々、大切に保有されていた。かならずしも〝妖刀〟と決めつけられたわけではなかったようにも思われる。弟子には、正重・村重がいた。

それにしても、史実と講談の入り交じった、不思議な世界があったものだ。

## 天下三名槍・日本号と黒田節

先にふれた黒田官兵衛の宿老・母里《もり》太兵衛は、弘治二（一五五六）年、播磨国揖東《ゆうとう》郡妻鹿《めが》村（現・兵庫県姫路市飾磨《しかま》区妻鹿）に生まれたという。幼名を万介《まんすけ》といい、のちに太兵衛と改め、母里家の養子となった。

もっとも、太兵衛は本来、曾我《そが》姓であり、官兵衛の父・職隆《もとたか》に幼少より仕え、官兵衛によって取り立てられ、母里の家に養子となって、ついには黒田家臣団の筆頭〝三年寄〟の一人となっている。官兵衛─長政父子の、合戦での先手の大将をつとめ、「所々の働き比類なし」といわれた豪勇であった。

この太兵衛を一躍、有名にした逸話があった。主君長政の友人でもあった、福島正則のもとへ使者に赴いた太兵衛が、酒豪（酒乱ともいうべきか）の正則に酒を強要され、「飲みほせば、何でも言うことを聞く」との正則の約定により、大盃に注がれた酒を飲み干して見事、天下の名槍「**日本号**」を手に入れた。後世、〝黒田節〟にうたわれた事件である。そのため、「日本号」は〝呑取槍《のみとりやり》〟とも呼ばれた。

俗に〝天下三名槍〟と呼ばれるものがあった。「日本号」と本多平八郎（忠勝）自慢の「**蜻蛉切**《とんぼぎり》」、さらに「**お手杵**《てぎね》」の三作である。三槍のうち、鞘の形が手杵に似ていたことから、「お手杵」と呼ばれた名槍は、関東大震災で焼失し、現存していない。穂長四尺六寸（約百三十九センチ）の大身の槍で、銘に「義助作」とあるから、室町後期の駿河国の刀工・島田義助の作とされている。

『日本の名槍』（雄山閣）に拠れば、「日本号」は正親町《おおぎまち》天皇より室町幕府十五代・足利義昭が拝領。その後、信長─秀吉、そして福島正則へと伝わったとされている。が、この伝承はおそらく、後世の付会であろう。日本人は、思い込みにはまりやすい。鉄砲の全盛期に〝東海一の弓取り〟、江戸時代に入ってから、〝槍一筋の家柄〟――すでに武器としては無用となっていたものを、妙にありがたがった。しかし、史実の世界では、安土・桃山時代、槍は雲上人の扱うものではなかったろう。

のちに、素面《しらふ》に戻った正則は、「日本号」を手放したことを大いに後悔し、長政に泣きついて、どうかかわりの物と交換してほしい、と申し込んだが、太兵衛はこれに応じない。そのため気分を害した正則と長政の間も、一時、不仲となってしまった。

蛇足ながら、このとき、二人の間に入って和解を働きかけたのが、豊後高田（現・大分県豊後高田市）一万石の竹中重利《しげとし》であった。重利は、長政が松寿と呼ばれた幼少のおり、生命懸けで匿《かくま》ってくれた竹中半兵衛の義弟（従弟とも）であった。

二人の仲直りは成功し、このおり和解の証として、正則と長政は互いの兜を交換している。正則から長政に贈られたのが、かつて半兵衛が所用し、形見わけで正則へ贈られた「一ノ谷」の兜であったという。現在は、福岡市博物館に所蔵されている。

「日本号」はどうなったのか。一時、太兵衛から後藤又兵衛（諱は基次）に移り、又兵衛が長政と絶縁して筑前を去ったおり、再び太兵衛のもとへ。

その後、大正時代に母里家から「日本号」は離れ、転々としてついには黒田家へ献上された。「日本号」は無銘ながら、穂長二尺六寸一分半（約七十九センチ）の長寸である。大身の三角造で、鎬地（鎬筋と棟の間）には一尺八寸（約五十五センチ）に及ぶ倶利迦羅の彫りがあった。拵は鞘も柄も、大粒の総螺鈿《そうらでん》である。柄長は七尺九寸六分半（約二百四十一センチ）、鞘は二尺八寸五分（約八十六センチ）とあった。

柄には赤銅地金小縁《しゃくどうじきんこべり》に桐沢瀉紋《きりおもだかもん》の金据文《きんすえもん》の金具がほどこされ、総青貝散《そうあおがいちらし》となっていた。

鍛冶については、諸説あるようだ。

## 石田三成が「石田正宗」を秀康に贈る

〝天下分け目〟の関ヶ原の戦いは、決戦の当日＝慶長五（一六〇〇）年九月十五日までに、東軍の総大将・徳川家康の調略が行きとどいており、戦う前からほぼ勝敗は決していた。西軍を束ねた石田三成には、この戦場で〝勝機〟はなかったといってよい。

通史によれば、三成はかなりはやい時期から、家康に敵愾心《てきがいしん》を抱き、心中に期するところがあったようにいわれているが、多くは江戸期の記述によるもので、生来の官僚とも思える三成は、もともと、己れの私情や個人的見解から家康などと争えるタイプではなかった。共存の可能性を探る三成にたいして、家康は嵩《かさ》にかかって出た。両者の決定的決裂は、加藤清正以下、福島正則、黒田長政、浅野幸長《よしなが》、池田輝政、加藤嘉明、細川忠興の七将が三成襲撃を計画するなか、三成が家康を訪問したときであった。

これまで多くの史書や小説の類は、前田利家が死去した夜、清正以下の七将が三成を襲撃しようと計画、それを耳にした三成が佐竹義宣《よしのぶ》の助けを借りて窮地を脱し、翌日、伏見の徳川屋敷に恥も外聞もなく逃げ込んだと述べてきた。

しかも三成はそれ以前に、藤堂屋敷の襲撃計画のほかに、二度も家康を暗殺すべく企て失敗。それでいて己れの生命惜しさに、窮余の一策で家康の懐に飛び込んだという。が、これらも出典はすべて江戸期の書物に拠っている。

二度に及んだという暗殺計画については、同時代の記述による史料は皆無であり、確かな証拠はなにひとつない。繰り返しになるが、通史と呼ばれるものほどいい加減なものはなかった。武断派の七将が徳川屋敷に押しかけ、三成の身柄引き渡しを求めたというのも、作り話の域を出ていない。この架空の事件があったとされる前夜、家康が諸侯に出した手紙の中に、この件に言及したものはただの一通もなかったのである。

そもそも、大坂在番の七将が大坂を空けて、伏見に駆けつけるのは明らかな違法行為であり、清正一人ならいざ知らず、細川忠興、黒田長政のように政治感覚の鋭い武将が、なぜこの不透明な局面で、そこまで踏み込む道理があったろうか。

事実、この間の事情を如実に物語る、家康の七将に宛てた書状が後世に残されている。

この書状をみると、七将——人物に若干の相違がある——が、しばしば家康の許に手紙を送り、種々、報告や訴えをおこし、指示を仰いでいた様子が窺《うかが》える。石田三成についても幾度か訴えていたのであろう。行方についても質している。これらにたいし家康は、

「仰せの如く、此《こ》の方へ罷越《まかりこ》され候」

とありのままを告げている。

七名の武将は、ことごとく関ヶ原の戦いにおいて家康側につき、活躍している。

彼らは家康に従い、自家を守って領土を大きくした。その意味でこの選択は、決して間違っていなかった。戦国期にあって、奇麗ごとの義戦は通用しない。私怨あり、私情、私利・私欲が働いて当然の時世であった。ただ、この七将のすべては、豊臣秀吉によって引き立てられた大名である。結果として彼らは、関ヶ原で家康を勝利に導き、恩顧を受けた豊臣家の滅亡をはやめる役割を担った。そうした観点からは忘恩の徒であり、正義のなんたるかを知らない人非人、世才《せさい》、俗人と蔑まれ、軽侮されようとも致し方あるまい。

その彼らから憎まれ、不倶戴天の敵と見なされた三成は、この日（慶長四年閏三月五日頃）、家康の伏見屋敷を訪れ、前田利家の死という重大事態に関して、今後の政局運営について話し合っていたのである。この非公式の会談で、何がどのように取り決められたのかはつまびらかではないが、家康と三成が会ったと思われる日から四日目、家康が福島正

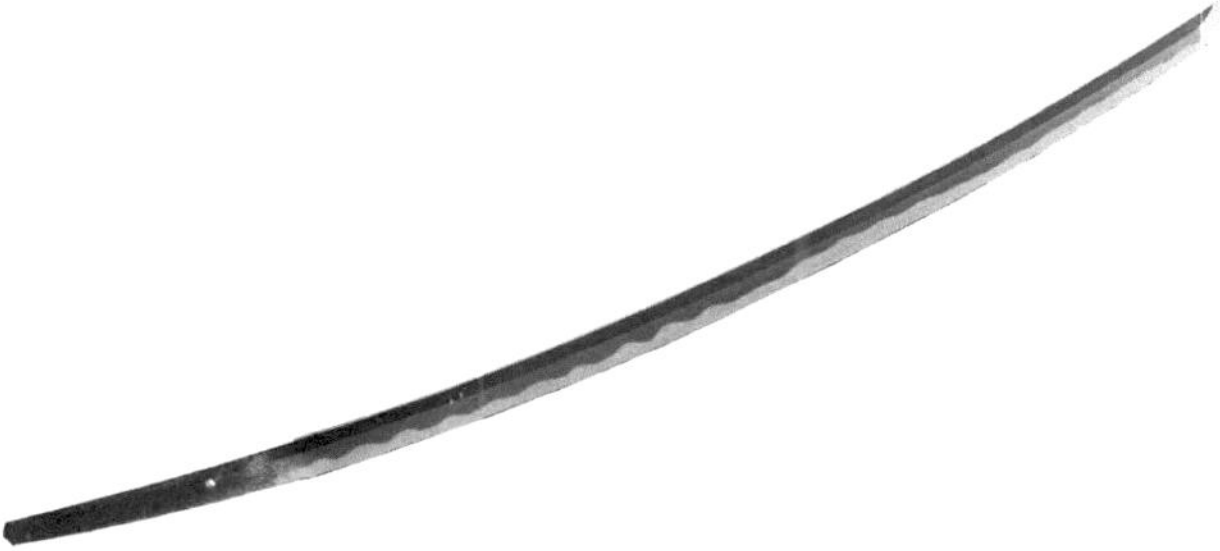

（写真 4-2）棟や鎬に切り込み痕が残るという「石田正宗」

則、蜂須賀家政、浅野幸長《よしなが》に連名で発送した書状が残っている。

これによると三成は、居城の近江《おうみ》佐和山（現・滋賀県彦根市）へ閉居することが決まり、明十日には出発する予定で、三成の子・重家を人質としてすでに昨八日夜に、家康の許に届けてきたことが記されている。ほとぼりがさめるまで……、とでも家康がいったのであろう。

ついでながら、その護衛には家康の次男で、すでに「結城」へ養子入りしていた秀康（於義丸《おぎまる》）があたった。このとき三成が、謝礼として秀康に贈った刀が、鎌倉時代の名工・正宗の作品「**石田正宗**」（写真4－2）であった。刀身に切込みの痕があり、「石田切込正宗」とも呼ばれたようだ。

この名刀はその後、松平姓に戻った秀康が、越前北ノ庄六十七万石に封じられたおり、越前へ。それが元禄十一（一六九八）年に越前松平家の分家から、松平宣富《のぶとみ》が津山藩主になったおり、「石田正宗」をも持参し、津山藩へ渡ったと伝えられている。

三成の無念に、二代将軍秀忠の異母兄でありながら、将軍になれなかった秀康の無念が、この名刀には重なっていたのかもしれない。否、二人揃って達観していたかも。

**名刀正宗で伊達政宗に斬りつけた傾奇者**

凄気《せいき》、気根《きこん》で鳴る戦国武将・蒲生氏郷《がもううじさと》は、〝武辺者〟と呼ばれた。合戦で功名を立てることしか頭にない、乱世を生きがいとする人々には、なぜだか神仏の如くに慕われた。

そうした家来の一人で、氏郷の死後、招きに応じ、浪々の境涯から上杉景勝に仕えた人物に、岡野左内《さない》がいた。とにかく、戦巧者《いくさこうしゃ》であり、玄人芸とでもいうべきか、小よく大を制するゲリラ戦には滅法強かった。が、その一方でこの人物は、どういうわけか大の倹約家であり、豪奢を心から憎んでいて、一面、銭を蓄える執着心がことのほか強く、こちらの嗜好の方が戦場での抜群の働きよりも、人々の記憶に残ってしまった。

結果、周囲から嫌われてしまう。戦場に生きる侠勇たちにとって、銭を貯めることはまだしも、その貯め込んだ銭を座敷にばらまいて、その上をころがりまわって喜ぶという、左内の奇妙な趣味は許し難いものであったようだ。ところが、どれほど誹《そし》られ、嘲《あざけ》られても、左内はまったく己れを反省しようとはしない。興味深いのは、その散漫した銭の上でたわむれている時、牢人同士の喧嘩の仲裁を頼まれた時だ。

さて、左内はどうしたか。名刀正宗を腰に差して、そのまま戸締りもせず、銭も仕舞わずに現場に駆け出した。仲裁に一昼夜かかって、ようやく解決して己れの住居へ戻っても、この男は大好きな銭が減っているのではないか、と疑うこともせず、そのまま銭を数えもしないで仕舞ったという。それを聞いた武辺者の中には、この男は実は本物の傾奇者《かぶきもの》ではないか、と認める者まで現われた。

またある人が、一生懸命倹約して、黄金一枚を蓄えた。これを聞いた左内は、

「人間、平素の蓄えがなければ、いざ鎌倉の時に、緩急の応対ができぬものだ。汝のその倹約の志やよし」

といい、黄金十枚を無造作に与えたこともあった。

とかく同輩には誤解されていたが、いよいよ徳川家康と一戦となるや、左内はすべての上杉家将士から尊敬の目で見られるようになる。彼は自らが貯め込んでいた永楽銭一万貫を、そのまま景勝に献上して、周囲をあっといわせたのだ。

また、金に困っている同輩にも、気前よく軍資金を提供している。そしていよいよ合戦が迫ると、左内は猿楽の一座を呼び、終日、その観賞に時を費やした。

「戦の準備は平素こそ大切だ。わしは準備つねに万端である。したがって、もはや思い残

すことはない。あとは戦陣に臨み、生還を期さず討死を遂げる覚悟で合戦するだけだ。猿楽も楽しんだ。もはやこの世に未練はない」

いざ合戦となれば、左内は銭への執着などまったく忘れ、ただ強い敵を求めて乱戦の中を駆け回った。福島筑川に伊達政宗が迫ったおり、左内は敵の先鋒・木幡《こばた》四郎左衛門を倒し、政宗とも遭遇。互いに刀槍で討ち合った結果、政宗は左内に二ヵ所の傷を負わせ、左内は政宗の兜を斬り、その錣《しころ》――かぶとの鉢の左右・後ろにたらして首をおおうもの――を薙《な》いだ。刀が折れた政宗は馬に乗って逃げたが、左内はその脱ぎ捨てた鎧が今一つ、きらびやかでなく、まさか政宗本人とは気づかないまま、これを取り逃がしてしまう。

あとで知って、大いに後悔したようだが、殺されかかった政宗はその後、左内を三万石で招聘しようとするが、左内はこれを受けなかった。あれほど銭を貯めることに執着したこの男は、なんと減封《げんぽう》となっていた蒲生秀行《ひでゆき》が会津六十万石に復されたのを聞き、たってと望まれて一万石をもって返り忠をしている。

左内は秀行―忠郷《ただきと》の二代に歴事（歴代の主君に仕えること）し、その自ら亡くなるおりには、黄金三千両と正宗の刀を忠郷に、黄金千両と景光《かげみつ》の刀及び貞宗《さだむね》の短刀を忠郷の弟・忠知に献じ、多年にわたって人々に貸していた債権の証文をことごとく火中に投じて、この世を去った。

天晴《あっぱれ》な武辺者、傾奇者もいたものである。

## 「水神切兼光」を手にした直江兼続の心中

戦国時代、一世を風靡した天才戦術家・上杉謙信の後継者となった上杉景勝には、名補佐役・直江《なおえ》兼続《かねつぐ》がいた。兼続はもとは陪臣の身分であったが、五歳年長の景勝の近習《きんじゅ》に選ばれたことで、人生の幸運を摑む。

兼続にとって主君であり、師でもあった謙信が、脳溢血で倒れ、人事不省のまま没すると、上杉家は景勝ともう一人の養子・景虎《かげとら》による、跡目争い＝御館《おたて》の乱が勃発する。この争いは、謙信が明快に己れの後継者を指名しておかなかったことに、由来していた。

この内戦を兼続は、外交戦略――敵方であった武田勝頼を味方につけ、景虎の実家である北条氏を牽制、国内の支持を固めて、景勝を勝利へ導いた。

景勝はこの功にむくいるべく、天正十（一五八二）年、上杉家の宿将中、群を抜く「直江」姓を継がせ、名実ともに兼続を上杉家宰相へと押し上げた。

天正十六年、景勝・兼続主従は、天下人となった豊臣秀吉に臣下の礼を取った。このとき秀吉は、兼続に従五位下山城守の叙任をはかり、豊臣姓の名乗りも、景勝と同時に許している。また、慶長三（一五九八）年、秀吉は景勝を会津に移封したおり、兼続に米沢三十万石を宛行《あてが》うようにと、とくに景勝へ命じていた。

もし、兼続が望めば、豊臣政権下で独立した大名ともなり得たであろう。が、彼は景勝の補佐役に徹しつづける。

秀吉の死後、豊臣政権への謀叛の嫌疑をかけられた景勝に、五大老筆頭の徳川家康が上洛を命じるが、景勝はこれを拒絶。このとき兼続が、家康に宛てて、同じ五大老の身分である家康から、命令されるのは合点がいかぬ、そちらが会津に攻め寄せてくるのなら、万事はそのおりに決着をつけようではないか、と書き送った「直江状」といわれるものが伝えられているが、これは明らかな後世の偽作であろう。書状そのものが、ないのだから。

しかし、それから間もなくして家康は、会津征伐の大軍を動かした。

上杉全軍を束ねる兼続は、家康らの軍勢を迎撃すべく、万全の態勢をもって臨んだ。敵軍を自領に迎える間際、速戦で叩くのが謙信以来の上杉戦法である。

ところが、石田三成の西軍挙兵によって、家康は下野国《しもつけ》小山《おやま》（現・栃木県小山市）から、軍を西へ旋回してしまった。兼続は直ちに、家康を追尾して戦うことを景勝に進言する。

が、これまで兼続と見解を違えたことのなかった景勝が、「勝てるが故に戦わず」との謙信の美学を持ち出して、追撃を許可しなかったのである。二度、抗弁した兼続は、それ以上の抗弁を差し控えた。もしかするとこのとき、彼は愛刀の「**水神切兼光**《すいじんぎりかねみつ》」を握りしめたかもしれない。備前長船兼光の手になるこの名刀は、上杉謙信の所有していたもの。「康永二(一三四三)年十一月日」と銘が打たれていた。

無二の信頼の証しとして、謙信から景勝、景勝から兼続へともたらされたものであった。兼続は心中のわだかまりを、この「水神切兼光」で押えた。

中世最大の応仁・文明の乱は、終息するのに十年かかっている。関ヶ原も当初は、長期化が懸念されていた。兼続は次善の策として、上杉領の拡大＝最上領の併合を策定した。

そして決行されたのが、長谷堂の戦いであった。これには景勝も、反対していない。

だが、〝天下分け目の戦い〟は大方の予想とは異なり、わずか一日で決着がつき、戦後、上杉家は米沢三十万石に減封される。兼続は何も語らず、黙々と領国経営に専念し、その死後において表高三十万石を実収五十万石といわれるまでに、米沢藩上杉家を育てあげる軌道を敷いた。元和《げんな》五(一六一九)年十二月十九日、一代の名補佐役は死去する。ときに兼続、六十歳。

## 真田信繁の正宗と貞宗

慶長十九(一六一四)年、いよいよ大坂冬の陣がはじまるという、その直前のある日、豊臣方の重臣・大野《おおの》治長《はるなが》の屋敷に、月叟《げっそう》と名乗る山伏が訪ねて来た。

おりあしく治長は大坂城に登城していて不在、家臣がかわって応対に出たが、この山伏どうにもあやしい。素姓をと問えば、大峯《おおみね》からだという。用件はと重ねて尋ねると、「祈禱の書物を治長さまへ、差し上げたくまかりこしました」という。「帰宅を待たれてはどうか」と、それとなく監視をつけて、番所の脇へ呼び入れた。このとき番所では、時間をもてあましていた若侍たちが十人ばかり、素人の刀の目利きに興じていた。山伏がひっそりと控えていると、若侍の一人が、貴公の差し料を見せてほしいものだ、といい出す。山伏は恐縮しつつ、

「私の刀は山犬を脅すための物、とてもお目にかけられるような代物ではありません」

といいながら、刀を差し出した。

抜いてみると、形といい、光といい、実に見事な刀であった。「ついでに、脇差も拝見させてくれぬか」というと、これにも山伏は快く応じ、若侍たちに見せた。彼らは刀身に見入っていたが、その銘をみて驚嘆する。太刀は破天荒で魅力ある作風で知られた、鎌倉時代の名工・正宗（岡崎正宗）、脇差は貞宗の作であった。一方の貞宗は、正宗の実子とも、江州高木（現・滋賀県東近江市）出身の養子ともいわれている。

そこへ、治長が帰ってくる。山伏の来訪を聞いて、思いあたることがあったようだ。すぐさま番所へかけつけてくると、山伏をみるなり手をついてかしこまった。

「これは……、ようこそ来て下されました」

治長は幾度も礼をいい、山伏を賓客として書院へ通す。この山伏こそ、真田《さなだ》信繁《のぶしげ》であった。これは、『名将言行録』（岡谷繁実《おかのやしげざね》著）にある話。

この時から二十九年前、徳川家康の部将・鳥居元忠以下七千の兵を、小よく大を制すで二千で破り、十四年前の関ヶ原の戦いのおり、のちの二代将軍・徳川秀忠の正規軍三万八千を、クギづけにして関ヶ原に遅参させた智謀の将＝「表裏比興《ひょうりひきょう》の者」（スケールが大きすぎて、読めない男）といわれた真田昌幸――その次男で、父以上の謀才にめぐまれたとされる信繁が、蟄居《ちっきょ》していた高野山の入り口・九度山《くどやま》（現・和歌山県伊都《いと》郡九度山町）を脱出してきたのであった。

信繁に正宗はさぞ、似つかわしかったであろう。刀剣書の類＝通説では、京の粟田口派国綱が相州鎌倉に下ったおり、老いてのちにもうけたのが新藤五《しんとうご》国光《くにみつ》であり、さらにその子・藤三郎行光にいたって、この行光の子が五郎入道正宗となった。

鎌倉時代後期の相州鎌倉の刀工・正宗を、日本一の名工、近世以降斯界《しかい》の第一人者と評する人は少なくないが、正宗の生没年は不詳で、明治時代には豊臣秀吉と曾呂利新左衛門、本阿弥光徳《こうとく》（詳しくは後述）の三人が結託して、捏造した架空の人物ではなかったのか、との疑念まで出されている。いまだに、存在の正否すらが疑われている、東洲斎写楽に正宗は似ている。確かに、作品は残っているのだが……。

正宗という刀工が特別に脚光を浴びたのは、紛れもなく桃山時代に入ってからであった。刃文を子細に観察すると、砂粒のように大きく見える粒子と、霞がかかったような小さな粒子が見える。前者を「沸《にえ》」といい、後者を「匂《におい》」という。刃文全体が沸主調であれば、これを沸出来《にえでき》といった。正宗はこれで、大乱れの激しい作風が、時代の好みにあったようだ。が、とりわけ秀吉が功臣への賞賜に、正宗を求めたのも史実であり、その刀探しを請け負ったのが本阿弥光徳であったことも、間違いない。

日本一というわりには、なぜか正宗には、生《う》ぶ在銘（製作当初の姿に作者名を記したもの）の太刀が見られず、刀類は磨り上げの無銘か、金象嵌銘の極めものばかりであった。

刀剣鑑定の世界では、大柄で地は大板目（板目肌で大模様のもの）、刃文は激しい沸出来の、変化に富む大湾《おおのた》れ（ゆったりと寄せる大波のような刃文）で互《ぐ》の目《め》（丸い碁石の連続のような刃文。108ページ参照）の乱れ刃――そうした共通点から、正宗の刀だ、と目利きし、順次、採り上げたようだが、筆者にはその美術的価値が皆目、わからない。

思うことは一つで、刃文の焼きが大乱れで、焼きの深い華美な刀は、美術品としては引く手あまたなのだろうが、実戦では折れる懸念があった。筆者の祖父は、刃文の焼きの深さを、身幅の四分の一もあれば十分だ、と常々いっていたそうだ。拵《こしらえ》も柄から鞘にいたるまで、実用を第一に考えるべきだ、と繰り返し述べていたとも。

ついでながら、もう一方の貞宗も、在銘の作刀は現存していない（小脇差をのぞく）。後世の鑑定家によって、彼の作品と決められたものしかなかった。いずれも姿は大振りで、大抵、刀身に剣や仏の種子《しゅじ》（菩提心《ぼだいしん》・仏や菩薩を表わす梵字）などの彫物が施されていた。刃文は互の目乱れ刃を焼き皆焼《ひたつら》風（複雑な形の焼きが数多く入ったもの）のものであったという。

それにしても、史実と講談の入り交じった、真田信繁にとって、これほどピッタリの「大小」はなかったに違いない。

## 佐々木小次郎の「物干竿」が敗れた理由

宮本武蔵のライバルとして知られる佐々木小次郎は、筆者の先祖で東軍流開祖・川崎鑰之助の同門であった。師は富田勢源《とだせいげん》、小次郎はさらに勢源の高弟・鐘捲自斎《かねまきじさい》にも学んでいるが、独自の巖流は富田流の太刀筋から生まれたものにほかならなかった。

江戸時代後期に述べられた『撃剣叢談』には、この小次郎の巖流の秘技として、「一心一刀」というものがあげられていた。要約すれば、

「この技は大太刀を真っ向に拝み打ちするように大上段に構え、そのままつかつかと相手

に歩みより、相手の鼻先を目付にして、一気に地面までも斬りさくつもりで打ち込む」というもの。ここまでならば、富田流の〝先《せん》の先《せん》〟（先に仕掛けて勝つ）と同断である。この技法にはつづきがあった。「打ちなりにかがみ居りて、上より打処をかつぎ上げて勝つ也」――初太刀で相手が仕留められず、先方が逆襲に転じて打ちかかってきたならば、そのタイミングをみはからって、振りおろした太刀の刃先を返し、下からすくい上げて相手を斬れ、というのだ。印象としては、伝えられる〝燕返し〟の秘剣を連想させる。

大太刀の優越は一に、〝先の先〟をとりやすい点につきた。また、〝後《ご》の先〟（攻めを受けて、返して勝つ）をとるにも、いかなる応じ技をくり出すにも、刀身が長い分だけ有利である点があげられる。

すでにみた、倭寇対策における似非《えせ》日本刀も思いは同じであったろう。

富田流には他に、打ちかかってくる太刀に応じて、ことごとくを踏み込んで受け止める技法もあった。小次郎はそうした応じ技を、大太刀を使って工夫したに違いない。

宮本武蔵の言葉を借りれば、「二のこし（腰）の拍子」となる。この技法は、こちらが打ち出そうとした刹那、敵の方がより早く退いたようなとき、まず打つとみせて敵が一瞬、緊張したあとのたるみが出たところへ、つづいてすかさず打ち込む。

つまりは、〝後の先〟をとるわけである。

『二天記』に拠れば、小次郎は越前国宇坂ノ庄浄教寺村（現・福井県福井市浄教寺町）の出身といい、富田勢源の家人であったという。勢源の一尺五寸の小太刀に、小次郎は三尺余の太刀をもって稽古をはげみ、ついに門下中ならぶもののない腕前となった。

独立したのにも理由があり、師の勢源の弟・富田治部左衛門景政と試合をして勝利し、一派を立てることを一門から許されたという。

武蔵との決闘について、武蔵の養子・宮本伊織《いおり》によって建立された、「宮本武蔵碑文」（現・北九州市小倉北区）には、次のようなくだりがあった。

両雄同時ニ相会シ、岩（巌）流三尺ノ白刃ヲ手ニシ来リ、顧リミズシテ術ヲ尽サシム武蔵木刀ノ一撃ヲ以テ、コレラヲ殺ス。電光モ猶《なお》遅キガ如シ。

この碑文は承応三（一六五四）年の建立である、と刻まれているから、武蔵の死後でいえば九年後となる。当時まだ、〝巌流島の決闘〟を見聞した人もいたであろうから、誇張した内容は書きにくかったはずだ。小次郎は得意の〝先〟をとるべく仕掛け、〝後の先〟をくり出す前に、武蔵の一太刀で敗れた、と解釈できる。

では、なぜ、小次郎は敗れたのか。武蔵は通常の太刀や木刀を使用せず、自ら船島（巌流島）へ向う舟の中で櫓《ろ》（あるいは櫂《かい》）を削って自製した木刀を用いたからである。長さ四尺六寸（約一メートル四十センチ）、一説に四尺一寸五分（約一メートル二十六センチ）に及ぶ長大な得物は、「**物干竿**」と異名をとった小次郎の備前長光三尺一寸（約九十四センチ）をはるかに超えていた。小次郎は技法で敗れたのではなく、己れがこれまで最も得意としてきた〝長さ〟を、武蔵に取られてしまったのである。

そういえば『撃剣叢談』の中に、武蔵の弟子と小次郎の弟子が互いの師について述べたくだりで、小次郎の弟子が、

「岸柳（小次郎）は虎切を唱へ大事の太刀あり。この太刀強きことに関せざる構へなれば、多くはこれを用ふべし」

とわが師を自慢するくだりがある。武蔵の弟子が心配して師のもとへもどると、武蔵は、

「余も虎切を聞けり。必ず然《しか》らん（敗ってみせる）」

と応じた箇所が出てくる。この「虎切」が秘技の名ではなく、「物干竿」のことであったとすれば、まさに武蔵の言は巌流島の決闘の結果を見据えていたといえなくもない。

加えて、勢源の最晩年に学んだ小次郎は、明らかに武蔵よりは高齢であったろう（筆者は六十代半ばと考えている）。約束の刻限から、二時間半も遅れてきた武蔵の心理作戦

は、それでなくとも身に応えたに相違ない。おそらく武蔵は、現代風にいえば三十センチも長い自作の木刀を、小次郎の視界から遮るように携え、しかも鋒を舟からおりる際、海中に漬けて長さがわからないように工作したのであろう。

小次郎の「物干竿」は、その後、歴史の世界から消えてしまった。

# 終　章　日本刀の宿命

## 切れ味の格付け

日本刀が〝名刀〟と呼ばれるためには、刀剣の外形、鍛え、切れ味の三つが揃っていなければならなかった。だが、〝業物《わざもの》〟といった場合は、実際の切れ味のみが問われた。

室町時代、すでに刀剣の〝業物〟の位付けがおこなわれていたが、江戸時代、さらに分析が進み、文化・文政年間（一八〇四～一八三〇）に入って、五代の〝首斬り〟こと山田浅《あさ》右衛門吉睦《えもんよしむつ》が『古今鍛冶備考《ここんかじびこう》』を著して、位付けを定着させた（明治三十三〔一九〇〇〕年と昭和七〔一九三二〕年に刀剣会から復刻本が出ている）。

それによると、〝業物〟は四種類、最上大業物―大業物―良業物―業物となった。

ちなみに、ここでいう「最上大業物」は十回斬り込んで、うち七、八回大いに切れたものをいう。筆頭は「備前長船兼光《おさふねかねみつ》」（備前大兼光とも）、ほかに長曾根興里《ながそねおきさと》（初代虎徹《こてつ》。「はね虎《とら》」とも）、和泉守兼定《かねさだ》（二代関ノ兼定）、長曾根興正《おきまさ》（二代虎徹）、備前長船元重《もとしげ》などがこれに含まれた。

次の「大業物」は、十回のうち七、八回切れたもの。この大業物には、「関兼春《せきのかねはる》」「初代関兼延《かねのぶ》」「関兼房《かねふさ》」「初代関兼定」「関兼基《かねもと》」（関孫六《まごろく》）、「二代兼元」（関孫六）などが含まれていた。「良業物」は、十回に五、六回切れたもの。「業物」は十回に三、四回切れたもの、と定義されていた。

日本刀で人を斬ると、血脂が刃につき、普通は人一人斬れば刀は使いものにならなくなる。居合などで、血振り――血のついた刀を、振って血を飛ばし、次の所作で納刀する――があるが、あれは刀法上の形式的なしめくくりであって、刀についた血はそれほど容易にはぬぐえなかった。

まず、人を斬れば刀は曲ってしまい、鞘には入らなかったはずだ。それにしても、三、四人斬れるというのは、やはり切れ味が凄いということであろう。そして、大いに七、八人斬れたとなれば、その切れ味は何にたとえられようか……。

「はじめに」でも述べたが、日本刀はよほどの精神力の強い人が持つ以外は、剣術に心得があっても、手にしてはいけない。業物であっても、手入れしているとつい、刀に魅入られることがある。ボーッと意識が遠のくようになり、脳裏では何やら日本刀を振りまわしている自分の幻想が現われ、刀を振りまわしたくなる衝動が、かならず起きる。

江戸時代の初期において、頻《しきり》におこなわれた辻斬りも、おそらく日本刀に魅入られた精神鍛錬の未熟者によって、暗い巷《ちまた》で夜な夜な、引き起こされたことであったろう。

よほど精神力の充実している者か、腕にまったく覚えのない、ただ鑑賞しているだけの人をのぞいて、中途半端な者が手に取ると、〝業物〟は恐ろしいことになる。その点は、要注意である。

なお、日本刀の手入れだが、筆者は刀身には息も吹きかけてはならない、と父からくり返し注意された。納刀のおりに左手に乗せたり、親指と人差し指で刀身を挟んだりするのもだめだ、汗の塩気がつく、と。とにかく、手を触れてはならないのが日本刀の刀身だ、と厳しくいわれたものだ。

父は鋒から三分の一のところを、棟に当てて納刀していた。

## 鑑定師は能阿弥から本阿弥光徳へ

日本刀にはじめて、茶道具の名器を呼ぶ〝名物《めいぶつ》〟という言葉が使われるようになったのは、さて、いつ頃からであったろうか。

鎌倉末期から室町初期の刀剣目利《めき》きについては、直接の嚆矢《こうし》――今日のような鑑定のスタートとなったのは、室町幕府八代将軍・足利義政の時代からであったろう。

世にいう東山文化――十一年間つづいた、日本史上空前絶後の内乱=応仁・文明の乱がようやく終息したあと、現在の銀閣寺（正しい寺名は慈照寺《じしょうじ》）を中心に、将軍義政が歴代将軍の収集物を〝東山御物《ひがしやまごもつ》〟と総称し、まとめ直した。

実際に立ち会い、作業をしたのは、将軍側近の同朋衆であったが、茶湯・立花《たてはな》（のち

「りっか」)・絵画に加えて、日本刀の鑑定がこの時、厳《おごそ》かにおこなわれた。その御膳立をそれ以前からしていたのが、能阿弥《のうあみ》である。

彼は現存する最古の銘尽本《めいづくしぼん》といわれる、『観智院本銘尽《かんちいんぼんめいづくし》』(京都東寺の子院・観智院に伝わる刀剣書)にならって、刀工や作風、作地などを細かく整備して、後世の鑑定モデルを創りあげた。また、作風の表現に、後世はばをきかせる美文調をもち込んだのも、この能阿弥であったといわれている。

約百年後の、安土文化の中心人物ともいうべき織田信長は、実はこと芸術に関しては将軍義政の信奉者であり、大いにそのやり方をまね、〝天下一〟を構想、発表していた。

つまり、日本刀の鑑定は義政時代とかわらず、その後も世襲するようにつづけられていたことになる。

次なる、大きなステップアップは、桃山時代の本阿弥光徳《こうとく》(本阿弥家九代)の出現に拠った。

この人物は日本刀のとぎ(研磨《けんま》)・ぬぐい(浄拭《じょうしょく》)・めきき(鑑定)の三業を家業としており、家祖の妙本(生年不詳〜一四四四。没年一三五二年は誤り)は従来、菅家の五条季長《すえなが》の弟・長春から出て、妙本阿弥と称した人物であり、室町幕府初代将軍の足利尊氏の刀剣奉行を務めたとされてきた。

また、本阿弥家は代々熱心な法華信徒とも伝えられていた。

が、これらの大半は、戦国の世に成り上がった大名たちと同様、ことごとく本阿弥家の人々にとって創作された都合のいい創り話でしかなかったことが、すでに証明されている。

このことを明らかにしたのは、筆者の大学の恩師・鎌田道隆の師である林屋辰三郎《はやしやたつさぶろう》であった。本阿弥や「妙本阿弥」には法華（妙法蓮華経。戦国時代なら日蓮宗）と時衆《じしゅう》（時宗。一遍を開祖とする浄土宗）という、当時の二大宗教のあり得ない矛盾が、むりやりとり込まれていたのである。

## とぎ・ぬぐい・めききでもうける

初代の妙本は菅家＝菅原氏の出というが、それがもし正しければ、名字は松田であり、相模国鎌倉にあって、刀剣の目利をしていた門地となる。そのまま足利尊氏に近づき、尊氏の叔父・日静上人《にちじょう》に帰依して本阿弥法名を授けられたと本阿弥家はいうのだが、これからして偽称であった。

当時、刀鍛冶に従属する業務（とぎ・ぬぐい・めききの三業）に従事していた隷属民は、こぞって時宗の阿弥の号を使用していた。なぜならば、彼らは当然のごとく、公武共に貴紳に近侍することが身分上、許されなかったからだ。卑賤な身分のものは、俗世を捨てて遁世し、身分なき階級＝僧侶となることによって、ようやく貴族（公家・武家）に近寄ることができた。本阿弥家はまず、この手段を用いている。

ちなみに、前述の五条家は三業の〝座〟における座元であった。

要するに、刀剣に従属した――三業を生業《なりわい》とする――本阿弥家が、身分を超越して足利将軍家に近づき、とぎ・ぬぐい・めききでもうけた財力をもって、六代将軍義教《よしのり》の時世、その側近の松田氏から、右衛門三郎清信を本阿弥家の女婿《むすめむこ》に迎え、この人物を本阿弥家の六代として、本阿弥家に権威＝箔を付けたわけだ。これが本光《ほんこう》である。

この本光の代から、本阿弥家は時宗を捨て、法華信徒となった。併せて系図も、以後は松田家のものを写すこととなる。

この六代本光のあと、三郎兵衛光心《こうしん》（七代）には当初、男子がなかったため、再び幕府の侍所所司代《しょしだい》の多賀豊後守高忠《たかただ》の次男・片岡次大夫の子・光二を入婿に迎えた。

光二は本阿弥家の、〝中興の祖〟といってよい。永禄年間（一五五八～一五七〇）には駿府の今川義元に召されて東下し、その人質となっていた松平元康《もとやす》（のちの徳川家康）からも、小脇差の磨研を命ぜられたという。

時代は太刀から刀へと変化を遂げる中、光二は家業を全国に広める、なかなかのやり手でもあった。〝天下布武〟に邁進する織田信長に、荒木村重《むらしげ》所用の〝天下無双〟といわれた「義弘の太刀」を献上したりもしている。

この頃、京都において本阿弥家は〝京中の法華方の大将〟と呼ばれ、後藤・茶屋の両家と並称される、町衆のなかの旦那衆となっていた。三家は互いに姻戚関係を持ち、彼らはともに法華信仰でも結びついていた。

――この光二の子が、光悦となる。

話は戻って、光心にはその後、男子の光刹《こうさつ》が出生したため、光二は分家になおり、光刹の次代が光徳となった。

あまり知られていない史実だが、本願寺＝一向一揆＝浄土真宗と徹底的に戦い、天台宗の総本山・延暦寺を焼き打ちにした信長は、一方で禅宗と日蓮宗は保護していた。

羽柴秀吉が〝中国大返し〟をして、明智光秀に挑んだおりも、街道の辻に立って秀吉軍を激励したのは、日蓮宗の信徒たちであった。

## 鑑定する権威の失墜

本阿弥光徳は慶長元（一五九六）年に、秀吉から池田輝政（信長の武将・恒興の子）を通じて「刀剣極《きわ》め所《どころ》」の許可、折紙＝刀剣目利きの鑑定書の発行――その独占権を許された。家禄ものちの徳川幕府からは、二百七石与えられている。

「本」の字の銅印を秀吉から拝領し、折紙の裏には黒色でこれを押し、使用している。折紙とは奉書紙《ほうしょがみ》、檀紙《だんし》などを横折にしたものを指したが、形式・書式はやがて整えられ、本阿弥家は徳川幕府が誕生しても、そのまま刀剣目利きの独占権を与えられつづけた。

光徳の従兄弟で義兄弟でもある分家の光悦と共に、同じ職業に従事していた者どもをことごとく排除し、本阿弥家のとぎ・ぬぐい、めききを天下一の権威とした。二人は江戸と京都を押え、〝本阿弥〟の権威を不動のものとする。

だが、こうした独占の弊害は、茶の湯において茶聖・千利休ですらが、目明《めあき》をおこなったために「売僧《まいす》」と悪くいわれたように、一方的目利きの利益は本阿弥一族を富ませる一方で驕《おご》りたかぶらせ、慢心させて、往々にして技術の進歩を止めることにつながった。

実力のあるものが、権威を持てば鬼に金棒であったろうが、芸術の世界における才能の世襲はあり得なかった。

権威はあるものの、能力に欠けた者がトップに立てばどうなるか……。

最先端をいっていたはずの本阿弥の研磨は、やがて定められた手順を定められた通りにおこなうことが中心となる。浄拭しかり。目利きとて、例外ではあり得なかった。

手段と目的が混同され、ついに手段が目的化してしまった。

その一方で、三業を独占していた本阿弥家は、徐々に世間の信用を失っていく。世上には、「田沼折紙」といわれる言葉まで残った。

ときの老中筆頭・田沼意次《おきつぐ》が、本阿弥光純《こうじゅん》（十五代）―光久《こうきゅう》父子（ただし光久は養子）に命じて、将軍家下賜の刀に、不当に上位の折紙を出させた、というウワサが世間に流れ、広まった。事実、鑑定全体が甘くなり、結果的には本阿弥の権威を失墜させることにつながってしまう。

**刀剣鑑定はどこまで信じられるのか**

本阿弥家にとっても、日本刀の歴史にとっても由々しき問題――幸いと同時に不幸――であったのは、光心―光刹―光徳、あるいは光二―光悦の時代、武士の平常の服装が直垂《ひたたれ》、狩衣《かりぎぬ》姿から、肩衣《かたぎぬ》小袖《こそで》袴へと変化し、それによってそれまでの、腰刀を差して太刀を佩《は》くというスタイルが、「大小」を腰に差すという風俗に大きく様変わりしてしまったことである。

そのため、それに応じて腰から抜刀しやすいように、長い太刀は磨り上げられていく。

日本刀という武器は、通常、腕の長さを越えては抜くことはできない。無論、腰や左手、鞘の位置を下げることで、多少は長いものでも抜けたが、太刀を佩いていたときのようにはいかない。

ちょうど、のちの徳川幕府の定寸と定める、二尺三寸（約七十センチ）前後の打刀《うちがたな》に、造り直すことが流行した。本阿弥家でいえば、光徳の時代に集中していた。彼は磨り上げて無銘となった刀を、自らの主観で作者を極め定めて、折紙を出した。評価の高低は、彼の見る目にまかされ、以後は本阿弥家の胸算用となったのである。

秀でていた光徳や光悦は大丈夫として、代々、当主がすべて、正しい作者、時代を特定できたであろうか。

すでにみてきたように、そもそも刀工自身が集団化して活動しており、彼らは己れの技術・技法をもって諸国をめぐっていた。新しい工夫や思いつきも、途中に出たであろう。

その一方で、室町時代には作者の襲名制度もスタートしている。よく似た作風の弟子も、少なくなかったはずだ。

今日にもときおり見かける、初代の作風に酷似しているが、出来がいささか劣る――そうしたものを、二代目の作と鑑定するようなことが、江戸時代には起こらなかったといえようか。刀の鑑定は究極、主観ではないか。

同じ刀工の作でも、初期と晩年の刀の銘字が異なっているものもある。弟子による代銘、襲名による勘違い、同名だが別人の銘など、判断の難しいことが日本刀の世界には多すぎた。同様に、刀工は受領《じゅりょう》＝官名を得るという流行もあった。それでなくとも、短い銘が大半である。官名は変わり、隠居後の名も違うものになっている作品は多い。

重ねて、数打物《かずうちもの》といわれる、鑑定士からは粗悪品と決めつけられた、量産の刀が室町後期＝戦国時代には、大量に作られた。

## 古刀と新刀

筆者は、慶長年間（一五九六～一六一五）を境に、それ以前の「古刀《ことう》」と呼ばれるものだけが日本刀で、以後の「新刀」は日本刀とは呼べない、などと決めつけるつもりは毛頭ない。江戸時代後期に登場した、水心孔正秀《すいしんこうまさひで》に代表される「新々刀」（大正時代に本阿弥光遜《こうそん》が造った言葉）を否定するつもりもない。

ただ、真剣を扱ったことのある者としては、「古刀」により魅力を感じているのは事実だ。

分類される古刀には、奈良時代から平安時代中期ごろまでの直刀と、それ以後に出現した反り付きの刀＝彎刀《わんとう》が含まれていた。同時期の「太刀」も、それ以後の刀＝日本刀もふくまれている。

ただ、古墳から出土した刀剣は、古刀には含まれない。

古刀という場合には、太刀・小太刀・大太刀・脇差・短刀に加えて、薙刀も槍も同じように含まれた。古刀は新刀に比べて、製作期間が歴史的に長いため、幾つもの戦を経験して開発・改良が進められた経過があった。すでに、みてきた通りである。

歴史を生業《なりわい》とする筆者にとっては、古刀の方が身近に感じられる。また、武道を修行する端くれとしては、古刀の新刀に比べての軽さが、たまらなかった。贅沢な軽さといってよい。古刀は大抵研減《とぎべ》りがあり、〝肉〟が落ちているもの。いにしえの刀工たちの風景は、その軽さの中になつかしさを通わせていた。

刀工の多くは広がる山野に散住し、素材の砂鉄をみずから蹈鞴《たたら》で吹いて、低温火床《ほど》と鍛錬で、懸命に刀を仕立てていった。より良いものを、生き残らせるためにも——。

しかしながら、新刀の場合は事情が異なった。筆者は以前から、古刀と新刀のグレーゾーンを、永禄十三（四月二十三日に「元亀」と改元。一五七〇）年あたりから慶長年間まで、設けるべきではないか、と考えてきた。

少なくとも歴史学的見地では、その方が日本刀の隠された秘密にも、近づけるように思われたからだ。

元亀元（一五七〇）年の五年後＝天正三（一五七五）年五月、織田信長が徳川家康と組んで、武田勝頼の甲州騎馬軍団を三河の長篠・設楽原《したらがはら》で粉砕した。三千挺の鉄砲が火を吹いた、といわれている歴史的に記念すべき合戦があった。

それから二十五年後、〝天下分け目〟の関ヶ原の合戦において、参加した東西両軍は参加者約二十万人のうち、五万人が鉄砲を持参していたとされている。

全国的には倍以上の鉄砲が、保有されていたに違いない。

このおびただしい鉄砲は、いつ、どのようにして整備されたのであろうか。日本国内の火縄銃は、ことごとくが日本製であった。

永禄十三年＝元亀元年あたりが、戦場での主要武器が弓矢から鉄砲に変わった境界線であったように思われる。実はこのことは、古刀と新刀を比較検証するうえでも、重大な意味を持っていたのである。

**南蛮鉄の大量輸入**

明国が大量の日本刀を輸入していたことは、すでに第三章でみた。倭寇が「鉄鍋」「鉄錬」を好んだことも。

戦国日本では、日本刀——より以上に鉄砲——の需要を賄うために、まず製鉄専門業者＝鉄山師《てつざんし》（製鉄山とも）が誕生した。だが、そもそも日本には、国内産の鉄が少なすぎた。

確かに、日本の各地でも鉄は産出したが、総じて「鍬鉄《そうてつ》」（脆い鉄）、「銑鉄《せんてつ》」（硬くて脆い鉄）であった。そのうえ、鋳物製銃身に長い銃腔《じゅうこう》（弾丸の通路となる銃身内部の円筒形の空間）を開けようとすると、火薬の爆発に耐えられる鋳鉄そのものが、当初の日本には存在していなかったのである。

素材的にも、加工技術の面からも、国産の鉄だけでは需要そのものに応えられなかった。

以前から、倭寇を使ってシャムや福建からも鉄は輸入されていたが、明国は貿易を停止したままである。鉄は日本で、質量ともに欠乏していた。そこへ現われたのが、南蛮貿易であった。

天文年間（一五三二〜一五五五）からポルトガル・スペインの二国が、東南アジア―明―日本とつないで、数々の貿易品を扱ったが、その中で日本へは、一括して南蛮鉄と呼ばれる、「熟鉄」（軟鋼）が輸入された。この南蛮鉄が、鉄砲の大量供給を可能にしたのである。

その証左に、鉄砲の初期、その産地は平戸（長崎）・坊ノ津《ぼうのつ》（薩摩）・和泉（堺）といずれも、南蛮船の寄港地であった。南蛮鉄を求めて、鍛冶屋が集まって来たのである。

火縄銃は南蛮鉄＝舶載《はくさい》鉄をもって製造され、日本史を大きく転換させることに貢献した。では、この南蛮鉄は日本刀に影響を与えなかったのであろうか。筆者は戦場で主要武器とならなかった日本刀は、鉄砲に遅れて――鉄砲の需要がピークをこえて――慶長年間になってから、この南蛮鉄を活用するようになったのではないか、と考えてきた。

南蛮鉄の大量輸入は、日本の国内鉄にも当然、多大な刺激を与えたであろう。国内鉄にも改良は加えられ、鉄砲に使用可能な、炉温の高い製鉄、鉄滓《てっさい》（不純物・ノロ）がほとんどない鉄を産み出すことに成功した。

鉄砲はその鉄をまるめればいいのだが、日本刀に関しては、赤熱した鉄の表面に残る酸化皮膜を除去できなければ、折り返しての鍛接《たんせつ》（接合部分を半溶融状態まで加熱して圧力を加え、二片を接着させること）ができない。

供給が需要を上回り、南蛮鉄の在庫が増える中で、その鉄が使えない日本の刀工にとって、この最大の難問を解決する機縁となったのが、文禄・慶長の役（一五九二～一五九八）ではなかったか、と筆者はこれまで想定してきた。

日本の刀工では解決できなかった問題を、解決してくれる人々が、朝鮮半島から無理やり、日本へ連れてこられたのではないか。朝鮮の陶工たちである。

彼らの持っていた窯業《ようぎょう》技術が、南蛮鉄を使って容易に日本刀を造る道をひらいたのではないか。しかも、この新鋼材は、表面に残る酸化皮膜さえ除去することができれば、卸《おろ》し鉄《がね》をしなくても済む簡便さがあった。加えて、軟鉄の芯鉄《しんがね》を硬鉄の皮鉄《かわがね》で包み込む構造が開発される。

新刀とあえて区分される日本刀は、まさにこの南蛮鉄（及び日本製）による、日本刀造りと重なるものではなかったのだろうか。

以後、新刀の刀工たちは城下町に移り、定住し、鉄山師—鉄問屋から精製された鉄を、安定して購入することができるようになった。刀の製造現場は、大きく様変わりしたであろう。

その具現化された人物が、新刀鍛冶の祖と呼ばれる、安土桃山時代の名工・埋忠明寿《うめただみょうじゅ》であった。彼は古《いにしえ》の刀工、三条宗近二十五代目の孫と称するが、それを証明するものは何もない。

明寿の真価は、一刀工というよりも「鑽工《さんこう》」（鉄に穴をあけたり切ったりすること）の領域にあった。なにしろ埋忠派は、剃刀《かみそり》から鉄鐔、刀剣の磨り上げ及び金象嵌《ぞうがん》の施入《せにゅう》（本阿弥家からの依頼による）、刀身彫刻及び拵《こしらえ》、刀装金具など、日本刀に関するすべてを製作できる工房を有していた。

換言すれば、鉄のことならば何でも、知り尽くしていた集団といえる。

ちなみに、「水挫《みずへ》し法」の開発もこの一派によるとされている。鋼の塊を熱して、平たく薄く打ち延ばす。それを、水に入れて急冷し、それを小割にして鉄滓を除去し、良質の鋼を選別してそれを積み重ねて鍛えることにより、地肌に斑《むら》のない詰《つ》んだ（鍛えられた肌目が緊密で特に細かいこと）きれいな地鉄《じがね》ができた。

確かに新刀の地鉄も刃文も冴え冴えとして明るく、きれいだが、これらは鉄を知りつくしているがゆえの成果ではなかろうか。

と同時に、真鍮《しんちゆう》、素銅《すあか》などの地金に金、銀、赤銅などの色金を用いた、彼ら埋忠派の登場によって、乱世から泰平の世に転換したことが明らかとなり、世相は日本人の生き方そのものを変え、結果として日本刀を一気に、武器から観賞用の美術品に変貌させてしまうことにつながった。

埋忠派のみならず、新刀すべてに関して、筆者はそう考えてきた。

## 刀狩りの一番の被害者

新しい時代の幕開け——その前段階でおこなわれたのが、天正十六（一五八八）年七月に出された、豊臣秀吉による「太閤刀狩り」であった。

中世を通して、百姓や寺社が所持しつづけてきた武器類を、ことごとく取り上げたこの政策は、無用な争乱を未然に防ぐことを目的とした、とくり返し教科書で学んできたが、では、その集められた武器はその後、どうなったのであろうか。

筆者は、鉄に還元されて、鋤や鍬と同じように、新刀になって、転売されたと考えている。ここで重要なのは、刀狩りの一番の被害者は誰であったのか、ということだ。百姓や寺社ではない。刀鍛冶であったろう、と筆者は思う。

鉄砲鍛冶についで、刀鍛冶は開店休業となっていた。もう、従来の戦場での補助的武器＝日本刀はいらない、というのが、秀吉の刀狩りにおける本音ではなかったろうか。

東の〝関派〟、西の〝長船派〟も、その他の全国に分布する刀工集団も、この時期に再分裂し、さらにこまかく諸国へ散っている。

ちょうど、日本刀に南蛮鉄の使用が考えられた頃であった。

先述のグレーゾーン（一五七〇～一六一五）にかけて、武器は日本刀のみならず、ことごとくがより早く、実用に適して、量産が可能で廉価なものが懸命に求められた。

だが、刀はそうした競争の中で、最も早くに武器としての有効性から脱落したように思われる。

では、食えなくなった鍛冶屋はどうしたか。新天地を求めて流浪し、生活必需品に転向したか、あるいはその一方で、芸術性の高い美術品としての日本刀を追求したか——筆者はこれこそが新刀の本質であった、と思うのだが、読者諸氏はいかがであろうか。

以後、実戦性の高い日本刀は長曾祢《ながそね》虎徹《こてつ》入道興里《おきさと》が出現する寛文・延宝年間（一六六一～

一六八一）まで、多少の刀工はあらわれたであろうが、印象深く記録されることはなかった。

幕藩体制は米経済ゆえに、幕府も藩も例外なく、財政は破綻する宿命を背負っていた。他方では無事泰平を実現するため、弓矢・槍・薙刀を所持しての往来が禁じられ、武士という階級に属する人々のみ、「大小」を腰に差すことが認められ、辛うじて己れの立場を内外に示すことができた。日本刀は、武士としての証しとなったのである。

新刀は江戸初期、刀狩り以後の欠乏を補いつつ、新しい時代のニーズもあって活況を呈したが、三代将軍家光から五代将軍綱吉の時代にかけて、ありとあらゆる法令がしかれ、たとえ武士に与えられていた無礼討ちにしろ、ひと度、刀を抜けば、その身はただではすまされないことが明らかになると、武士全体もやがて、〝人切り包丁〟を新たに求める者はいなくなってしまう。

ちょうど、〝介者剣法《かいしやけんぽう》〟と呼ばれた、甲冑を身につけた剣術から、平服で仕合をする〝素肌剣術〟へと剣術流派が変革を遂げ、それに応じるように江戸初期、各藩に武術指南役が設けられ、大流行をとげたものの、以後、ブームが下火となって幕末を迎える様子に酷似していた。

## 日本刀の宿命

これはあまり指摘されてこなかった点だが、筆者は日本刀に武器としての存在価値を失わせた最大の要因は、日本刀とは表裏一体の関係にあった、先祖伝来の武芸流派が、大いなる高次元に進み、思想的昇華を遂げてしまったことが大きかった、と確信してきた。

相手よりいかに速く、的確に「斬《ざん》」するか、に主眼が置かれていた武術は、泰平の時代に入ると、他の武器——薙刀や槍、弓矢が持ち運べなくなったこともあり、対戦相手としての想定を徐々にはずされ、剣対剣の、しかも道場という画一化された環境の中での勝負となってしまった。

稽古用の刀も、戦国の世に真剣をつかっていたものが、間引き刀（切れなくなった刀）、木刀、ついには竹刀と防具を使用するようになる。

その一方で、戦国期に早くも確立されていた無刀取りは、やがて戦わずして勝つとの精神世界へと進み、そして高邁な武道精神は、ついには「相ぬけ」（夕雲流《せきうん》）——戦いの極致は完全な無闘争にある——との境地に到達してしまった。なるほど、名人・達人の域に達すれば、そもそも日本刀を抜く必要もなかったろう。

ところが、こうした無刀の境地が、稽古未熟な人々にまで、刀への関心を失わせることにつながってしまう。抜かない真剣がどれほどの業物なのか、腰に差している武士も関心を払わなくなってしまった。

こうした幕藩体制の中で、一部の心ある侍、好事《こうず》の人だけが日本刀に関心を持ちつづけ、とりわけ美術的価値が高い日本刀は、金銭が動く商いの世界にのみ、生き残った。金銭的評価がついていたからこそ、武士がまずしくなる状況の中では唯一、武士らしく輝いてみえたのかもしれない。

日本刀は幕末、ペリー来航にはじまるわずかな期間に、それこそ「新々刀」と呼ばれる刀が活躍する機会はあった。これは慶長年間以降に製作された新刀のうちで、とくに明和年間（一七六四〜一七七二）以降に製作された刀のことを指した。が、日本刀はそれまでにも歴史上、一度として戦場の主要武器になったことがなかったのと同様、このおりも武器としても再評価されることはなかった。

皮肉にも幕末の刀鍛冶は、戦国時代の鉄砲鍛冶のように、南蛮鉄を用いて鉄砲や新刀を創るほどの、新しい時代における技術＝産業革命の成果を身につけるまもなく、鎖国に近い状況の中、新しい武器の開発には何一つ結果を出せずに明治維新を迎えてしまう。

明治九（一八七六）年三月、廃刀令が出た。まさに、明治政府における刀狩りといってよかったろう。軍人・警察官以外は、士族（もと武士）であっても佩刀することができなくなり、日本刀はこれまで以上に美術鑑賞の世界に専従することとなった。

考えてみれば、この方向性は古代から一貫して存在していた、といえなくはなかった。日本刀は今も、これからも、戦場における実用性を問われることなく、眠りつづける——そういう宿命を帯びているのかもしれない。

## 主な参考文献（参照順）


『日本武術・武道大事典』加来耕三編　勉誠出版　二〇一五年
『宮本武蔵大事典』加来耕三監修　新人物往来社　二〇〇三年
『「宮本武蔵」という剣客』加来耕三著　日本放送出版協会・NHKブックス　二〇〇三年
『武蔵の謎　徹底検証』加来耕三著　講談社・講談社文庫　二〇〇二年
『The Mysterious Power of Ki — The Force Within —』加来耕三著　Global Oriental　二〇〇〇年
『図解雑学　武士道』加来耕三監修／岸祐二著　ナツメ社　二〇〇六年
『図解雑学　剣豪列伝』加来耕三監修／岸祐二著　ナツメ社　二〇〇四年
『図解雑学　五輪書』加来耕三監修／岸祐二著　ナツメ社　二〇〇二年
『古事記』倉野憲司校注　岩波書店・岩波文庫　一九六三年
『日本書紀』（全五冊）坂本太郎［ほか］校注　岩波書店・岩波文庫　一九九四〜九五年
『中國武術史大觀』笠尾恭二著　福昌堂　一九九四年
『柳生一族』今村嘉雄著　新人物往来社　一九七一年
『新版　日本刀講座』（全十巻）本間薫山・佐藤寒山監修　雄山閣　一九六六〜七〇年
『日本刀講座』（本巻二十冊＋別巻四冊＋補遺篇）雄山閣編　雄山閣　一九三四〜三六年
『格闘技の歴史』藤原稜三著　ベースボール・マガジン社　一九九〇年


### 写真提供

83ページ、太刀　銘安綱　91ページ、黒漆太刀（号獅子王）　118ページ、太刀　銘備前国長船住景光　元亨二年五月日　133ページ、太刀　銘三条　191ページ、太刀　銘備前国包平作　215ページ、刀　無銘　正宗（名物石田正宗）　いずれも東京国立博物館蔵　Image: TNM Image Archives

N.D.C.210　254p　18cm
ISBN978-4-06-288380-1

講談社現代新書　2380

# 刀《かたな》の日《に》本《ほん》史《し》

二〇一六年七月二〇日第一刷発行　二〇二五年六月六日第四刷発行

著　者　加《か》来《く》耕《こう》三《ぞう》　©Kaku Kozo 2016

発行者　篠木和久

発行所　株式会社講談社
東京都文京区音羽二丁目一二—二一　郵便番号一一二—八〇〇一

電　話　〇三—五三九五—三五二一　編集（現代新書）
〇三—五三九五—五八一七　販売
〇三—五三九五—三六一五　業務

装幀者　中島英樹

印刷所　株式会社ＫＰＳプロダクツ

製本所　株式会社ＫＰＳプロダクツ

定価はカバーに表示してあります　Printed in Japan

## 「講談社現代新書」の刊行にあたって

教養は万人が身をもって養い創造すべきものであって、一部の専門家の占有物として、ただ一方的に人々の手もとに配布され伝達されうるものではありません。

しかし、不幸にしてわが国の現状では、教養の重要な養いとなるべき書物は、ほとんど講壇からの天下りや単なる解説に終始し、知識技術を真剣に希求する青少年・学生・一般民衆の根本的な疑問や興味は、けっして十分に答えられ、解きほぐされ、手引きされることがありません。万人の内奥から発した真正の教養への芽ばえが、こうして放置され、むなしく滅びさる運命にゆだねられているのです。

このことは、中・高校だけで教育をおわる人々の成長をはばんでいるだけでなく、大学に進んだり、インテリと目されたりする人々の精神力の健康さえもむしばみ、わが国の文化の実質をまことに脆弱なものにしています。単なる博識以上の根強い思索力・判断力、および確かな技術にささえられた教養を必要とする日本の将来にとって、これは真剣に憂慮されなければならない事態であるといわなければなりません。

わたしたちの「講談社現代新書」は、この事態の克服を意図して計画されたものです。これによってわたしたちは、講壇からの天下りでもなく、単なる解説書でもない、もっぱら万人の魂に生ずる初発的かつ根本的な問題をとらえ、掘り起こし、手引きし、しかも最新の知識への展望を万人に確立させる書物を、新しく世の中に送り出したいと念願しています。

わたしたちは、創業以来民衆を対象とする啓蒙の仕事に専心してきた講談社にとって、これこそもっともふさわしい課題であり、伝統ある出版社としての義務でもあると考えているのです。

一九六四年四月　野間省一